D0821937

LOLA ÁLVAREZ BRAVO

LOLA ÁLVAREZ BRAVO

Elizabeth Ferrer

FONDO DE CULTURA ECONÓMICA

TURNER

La publicación de este libro, y la exposición que lo acompaña, fueron posibles, en parte, gracias a la generosidad de 

Publicado originalmente en inglés por Aperture Foundation y Center for Creative Photography

Portada: *Niño bizantino*, Acapulco, Guerrero, 1950.
Contraportada: *Mar de ternura*, Oaxaca, ca. 1950.
Guardas: *Juegos*, Acapulco, Guerrero, ca. 1950 (detalle de la lámina 74).
Portadilla: *Saliendo de la ópera*, ca. 1950.

Edición: Nancy Grubb
Diseño: Francesca Richer
Producción: Matthew Pimm

Primera edición en español
Impreso y encuadernado en Italia
Printed and bound in Italy
10 9 8 7 6 5 4 3 2 1

Ferrer, Elizabeth
Lola Álvarez Bravo / Elizabeth Ferrer; present. de Douglas R. Nickel ; trad. de Pedro Serrano. – México :
FCE, Turner, 2006
176 p. ; 28 x 24 cm – (Colec. Tezontle)
Título original Lola Álvarez Bravo
ISBN 968-16-8116-9
1. Fotográfos – México 2. Fotografía – México
3. Álvarez Bravo, Lola I. Nickel, Douglas, present. II.
Serrano, Pedro, tr. III. Ser. IV. t.
LC TR140 .A45
Dewey 770.92 A685

Empresa certificada ISO 9001:2000

D.R. © Fondo de Cultura Económica, para América Latina
Carretera Picacho-Ajusco, 227
14200 México, D.F.
www.fondodeculturaeconomica.com
ISBN FCE: 968-16-8116-9

D.R. © Turner Publicaciones, S.L., para Europa
Rafael Calvo, 42
28010 Madrid
www.turnerlibros.com
ISBN Turner: 84-7506-751-4
978-84-7506-751-3

ÍNDICE

PRESENTACIÓN

Lola Álvarez Bravo inició su carrera como fotógrafa en medio de la agitación política y artística que vino después de la Revolución Mexicana. Durante los años veinte y treinta se movió en los círculos artísticos de Diego Rivera, Frida Kahlo, David Alfaro Siqueiros y José Clemente Orozco. El gobierno socialista de México promovía en esta época la libertad intelectual y le daba un enorme espacio público a las artes, lo que atrajo a su vez al país a líderes culturales de todo el mundo. Sergei Eisenstein, André Breton, D. H. Lawrence, Edward Weston, Tina Modotti, Paul Strand y Henri Cartier-Bresson son sólo algunas de las figuras que un vehemente idealismo y la oportunidad de escapar de las convenciones atrajo a México. Difícilmente había un momento o un lugar más propicio que México para un artista visual a fines de los años veinte, cuando Lola y su esposo Manuel Álvarez Bravo comenzaron a dedicarse a la fotografía.

El Center for Creative Photography adquirió el archivo de Lola Álvarez Bravo a principios de los años noventa, justo después de la muerte de la fotógrafa. Durante toda su carrera, Lola fue una cuidadosa guardiana de sus negativos —aquellos que conformaron su trabajo como periodista. De hecho, además de las doscientas impresiones finas originales incluidas en su colección, el centro guarda aproximadamente dos mil quinientas impresiones de contacto modernas sacadas del archivo de negativos, al alcance de los investigadores. Junto con papeles personales y otros documentos clave, éstos permiten a los académicos iluminar la vida y el trabajo de la primera fotógrafa de México. Elizabeth Ferrer es una de estas académicas, y aquí presenta el más riguroso y autorizado análisis hecho hasta ahora sobre la obra de Lola Álvarez Bravo.

Douglas R. Nickel
Profesor asociado de Historia del Arte
y director del Center for Creative Photography,
University of Arizona

1. *A ver quién me oye (¿Me oirán?)*.
Ciudad de México, 1939.
Colección: Center for Creative Photography,
Tucson, Arizona

LOLA ÁLVAREZ BRAVO

Elizabeth Ferrer

Cuando Lola Álvarez Bravo comenzó a experimentar con la cámara, la fotografía era para ella poco más que una curiosa diversión, la forma para explorar un indefinido impulso creativo. En ese momento, a fines de los años veinte, ella carecía de la pasión de su reciente esposo, quien había estudiado fotografía desde la adolescencia. Al principio, el joven Manuel Álvarez Bravo quería ser discípulo de uno de los más reconocidos fotógrafos de México durante las primeras décadas del siglo veinte, Hugo Brehme. Estudió también todas las revistas de fotografía europeas y estadounidenses que estaban a su alcance, una de las pocas maneras que había en la década de 1910, durante los años de la lucha revolucionaria en México, tanto de adquirir instrucción práctica como de poder ver el trabajo de fotógrafos profesionales. A Lola, la práctica de este medio le daba la oportunidad de compartir el tiempo con su esforzado marido. Durante los primeros años de su matrimonio ambos compartían cámara, cuarto oscuro y conversaciones sobre fotografía; y si bien hacer carrera dentro de la fotografía era una decisión inusual para una mujer de buena cuna en el México de principios de siglo, gracias a la coincidencia de diversas circunstancias, tales como la influencia de Manuel, sus necesidades económicas y su propia ambición intelectual, ella se dio a conocer como la primera fotógrafa mexicana.[1]

Dolores Martínez de Anda nació en 1903 en el pequeño pueblo de Lagos de Moreno, Jalisco, al occidente de la República Mexicana, y sus padres fueron Gonzalo Martínez, importador de muebles, y Sara de Anda. No se sabe mucho de su infancia. La mayoría de sus biógrafos afirman que nació en 1907 y que su madre murió cuando ella tenía tres años de edad. Sin embargo, documentos descubiertos después de la muerte de Lola prueban que su fecha de nacimiento es anterior, y sugieren que su madre no murió sino que abandonó (o se le pidió que abandonara) la casa de la familia Martínez.[2] Poco tiempo después, Lola, su padre y su hermano se mudaron a la Ciudad de México. Ahí vivieron en una mansión de veintiocho habitaciones en donde había un teatro, una sala de baile, salones para cenas y recepciones, y establos. Lola describió con frecuencia la casa como surgida de un cuento de hadas (la construcción todavía existe: un edificio de departamentos venido a menos con locales comerciales en la planta baja).[3] Fue en esa época, en plena Revolución Mexicana, cuando Lola conoció a Manuel, que vivía cerca de ahí.

Luego de una larga amistad que más tarde se convertiría en romance, Manuel y Lola se casaron en 1925 y se mudaron a Oaxaca, a 500 kilómetros aproximadamente al sur de la capital. Manuel, que se ganaba la vida como contador, obtuvo un puesto en la Secretaría de Hacienda de México. Con su hermosa arquitectura colonial, sus ruinas precolombinas y su población indígena, Oaxaca debió ser un lugar fascinante para cualquier persona con inclinaciones artísticas. Los primeros experimentos fotográ-

2. *Sin título*, s.f.
Reproducción digital póstuma a partir del negativo original.
Colección: Center for Creative Photography, Tucson, Arizona

ficos de Lola coincidieron con su estancia ahí, descrita por ella misma como un periodo maravilloso, importante tanto para su vida personal como para su trabajo. Recordaba vívidamente su fascinación ante la diversidad de la numerosa población indígena que circulaba por los mercados, sus visitas a los talleres de ceramistas y tejedores de los pueblos cercanos, así como sus paseos con Manuel y su cámara.

La estancia en Oaxaca, fuera de los compromisos familiares, también le dio a Lola libertad para explorar una vena creativa que en México, para esas décadas, difícilmente era territorio femenino. La única mujer con una carrera significativa en fotografía había sido Tina Modotti, la actriz italiana que llegó a México con Edward Weston en 1923. Modotti se convirtió en discípula y asistente de Weston en un momento crucial de la carrera de éste, en el momento en que se alejaba de la corriente pintoresquista aún imperante durante los años veinte y comenzaba a elaborar un lenguaje centrado en la exploración y exaltación de la forma pura. Aunque las primeras obras de Modotti muestran la influencia de la visión modernista de Weston, rápidamente definió su propia aproximación a la fotografía, al reflejar cada vez más su hondo compromiso con las causas políticas y sociales de la izquierda al tiempo que asimilaba la fina elegancia de él. Modotti pudo haberle servido a Lola de antecedente e inspiración, pues Tina era una rebelde iconoclasta que desde hacía tiempo llevaba un estilo de vida bohemio. En contraste, Lola había disfrutado de grandes privilegios y riqueza durante su infancia en el Porfiriato. Y aunque su opulento estilo de vida terminó abruptamente con la inesperada muerte de su padre en 1916, ella siguió asistiendo a escuelas de monjas durante su adolescencia; lo que se esperaba de ella es que se convirtiera en una buena madre y esposa, así como en una refinada ama de casa. Dedicarse a la fotografía fue para Lola un acto transgresor, aun cuando al principio pensaba que poco o nada saldría de ello. Con el tiempo se sintió cada vez más atraída por la cámara —siempre había tenido el deseo de hacer algo más en su vida— y la fotografía le ofreció un medio para explorar tanto el mundo físico más allá de su casa, como el campo de las ideas y el de la creatividad.

Luego de casi tres años en Oaxaca, los Álvarez Bravo regresaron a la Ciudad de México. Lola estaba embarazada y quería estar en la urbe, cerca de su familia y de las facilidades médicas modernas durante el momento del parto. Su único hijo, Manuel Álvarez Bravo Martínez (que también se dedicaría a la fotografía) nació en 1927. Al poco tiempo, Manuel Álvarez Bravo tomó la decisión de volverse fotógrafo de manera casi profesional. Sus primeros trabajos incluyeron encargos de retratos y la impartición de clases y, en 1930, cuando Tina Modotti fue deportada del país, la sustituyó como fotógrafo en la influyente revista cultural *Mexican Folkways*. En 1931, poco después de comenzar a dedicarse de lleno a la fotografía, Manuel cayó seriamente enfermo. Lola, además de atender al bebé, se vio obligada a hacer parte del trabajo, especialmente el del cuarto oscuro. Ya sea debido a las circunstancias o de manera voluntaria, Lola fue adquiriendo más habilidades técnicas y un mayor compromiso con el medio. Unos años después, en 1934, luego de separarse de Manuel, la

3. *Manuel Álvarez Bravo Martínez*, ca. 1935.
Reproducción digital póstuma a partir del negativo original.
Colección: Center for Creative Photography,
Tucson, Arizona

4. Manuel Álvarez Bravo (1902-2002). *Lola Álvarez Bravo, María Izquierdo e Isabel Álvarez Bravo*, ca. 1930. Cortesía: Isabel Curley. Copyright: Herederos de Manuel Álvarez Bravo

fotografía le permitió sobrevivir. "Lo que era un gusto, un puro anhelo", declaró "se convirtió también en un oficio."[4]

La formación artística de Lola tuvo lugar de finales de los años veinte a principios de los treinta, periodo en que, a pesar de que la efervescencia del renacimiento cultural mexicano previo empezaba a declinar, todavía gozaba de gran influencia entre los artistas y los intelectuales. La Revolución había concluido definitivamente en 1920, con el ascenso de un nuevo gobierno dirigido por Álvaro Obregón. Guiado por un espíritu reformista y la urgente necesidad de unificar a la nación luego de una década de caos y violencia políticas, Obregón nombró al escritor y filósofo José Vasconcelos Secretario de Educación Pública de México. El generoso financiamiento y la autoridad con que Obregón invistió al puesto le dieron a Vasconcelos la oportunidad de diseñar el nuevo paisaje cultural de México. Con la intención de forjar una nueva identidad nacional intentó incluir en ella a las clases campesinas largo tiempo marginadas; para este fin adoptó sus tradiciones y valores como expresión genuina mexicana, e independiente de las influencias europeas que habían sido el sello cultural del Porfirismo. Construyó nuevas escuelas sobre todo en zonas rurales, abrió librerías, publicó libros, lanzó programas de alfabetización y ayudó a despertar el aprecio por las artes populares. A Vasconcelos se le conoce principalmente por haber reclutado a Diego Rivera y a muchos otros artistas al comienzo de los años veinte, para pintar murales que representaran la historia mexicana y temas alegóricos en las paredes de importantes edificios públicos. Al involucrar en esta causa a toda una generación de artistas emergentes, fomentó a fin de cuentas una nueva visión de la producción cultural, que glorificaba las raíces indígenas del país y expresaba, en palabras de Octavio Paz, "el descubrimiento de México por los mexicanos."[5] Lola estaba muy familiarizada con este movimiento cultural, incluso antes de comenzar a trabajar en fotografía. El clima nacionalista de esta época seguramente influyó en el desarrollo de su visión artística: pasaría su existencia haciendo la crónica de la vida en México a través de toda la obra que produjo en su país. No obstante, también era muy consciente de las corrientes internacionales y de las posiciones culturales que, en México, iban en contra de una ideología con la mirada puesta esencialmente hacia adentro.

En la formación de Lola Álvarez Bravo como fotógrafa también fue importante el pequeño, pero muy activo, movimiento de la fotografía moderna en México. El renacimiento cultural del país atrajo la visita de muchos fotógrafos. Paul Strand y Henri Cartier-Bresson trabajaron en México en 1933 y 1934, respectivamente, y Álvarez Bravo los conoció a ambos durante sus años de formación con la cámara. Un poco antes, se había familiarizado con la obra de Edward Weston y Tina Modotti, quienes tuvieron un papel crucial en el desarrollo de la fotografía moderna en México. Manuel se hizo amigo de Modotti poco después de su regreso de Oaxaca y dos años después se la presentó a Lola. Cuando en 1930 Modotti fue deportada de México, los Álvarez Bravo le compraron su cámara Graflex, así como una cámara 8 x 10 que Weston le había dejado a Modotti. Y a pesar de que ni Manuel ni Lola conocieron a Weston, que había regresado a California en 1926, sí alcanzaron a ver exposiciones de su obra (Weston expuso en la Ciudad de México en Aztec Land Gallery en 1923 y 1924, así como, al lado de Modotti, en una exposición colectiva en el Palacio de Minería).[6] Siete décadas más tarde, Lola recordaba la fuerte impresión que le habían causado sus fotografías. Estaba impresionada por la elocuencia con que Weston retrataba la forma, y recordaba haber deseado entonces ser capaz de hacer fotografías como las suyas.[7] También apreciaba a Modotti, tanto por sus radicales convicciones políticas, como por la forma en que amplió el lenguaje de Weston al infundirle un sentido palpable a la emoción. Pero en retrospectiva, Lola Álvarez Bravo consideraba que ambos fotógrafos habían tenido únicamente una influencia limitada. Encontraba la imaginería de Weston demasiado formalista y calculada; y Modotti produjo su obra madura en México al servicio de causas políticas, un tipo de trabajo que en realidad no le interesaba a Álvarez Bravo.[8] Sin embargo, como mujer que trabajaba en un terreno que en México estaba dominado completamente por hombres, Modotti abrió un camino que Lola Álvarez Bravo iba inesperadamente a seguir, poco después de la apresurada partida de la fotógrafa italiana de la escena mexicana.

Por otra parte, la amistad de Lola Álvarez Bravo con numerosos artistas, escritores y otros intelectuales influiría profundamente tanto en su sensibilidad estética como en el curso de su carrera. Poco después de regresar a la Ciudad de México, ella y Manuel se instalaron en Tacubaya, para entonces un pueblo tranquilo a las afueras de la ciudad, y en donde antes que ellos Weston y Modotti habían residido en México. Los Álvarez Bravo acondicionaron una habitación de la casa para ser usada como galería informal (una de las primeras en México), en la que exponían pinturas de José Clemente Orozco, David Alfaro Siqueiros, Rufino Tamayo, Frida Kahlo y muchos otros. Estos artistas pronto se hicieron amigos suyos, así como el pintor Diego Rivera, el compositor modernista Carlos Chávez y el poeta y crítico de arte guatemalteco Luis Cardoza y Aragón. Con el fotógrafo e impresor Emilio Amero y el pintor Julio Castellanos, Lola y Manuel crearon la primera sociedad cinematográfica de México bajo el patrocinio de la Liga de Escritores y Artistas Revolucionarios (conocida como LEAR), organización antifascista dedicada a la fusión de la política y el arte. Lola Álvarez Bravo confesaba que al principio se había sentido intimidada por la presencia a su alrededor de hombres tan exitosos —lo que no debiera sorprendernos, ya que la mayoría de las mujeres mexicanas eran vistas por los artistas (hombres) como acompañantes o como musas, pero no como figuras intelectuales de igual estatura. Sin embargo era muy consciente de estar formando parte de un extraordinario periodo de la historia cultural de México, y aprendió tanto de su obra como de sus discusiones.

Especialmente importantes para Lola fueron los escritores conocidos como Los Contemporáneos, quienes entre 1928 y 1931 publicaron una revista muy influyente que, bajo el mismo título, reflejaba el interés por la vanguardia europea y que, por lo tanto, se oponía al poderoso discurso cultural mexicanista predominante en esos años. Algunos miembros de ese grupo, tales como Carlos Pellicer, Xavier Villaurrutia y Salvador Novo, todos ellos poetas, se convirtieron en amigos de toda la vida de la fotógrafa. Su amistad con los Contemporáneos es especialmente intrigante, dada la posición vanguardista y cosmopolita de éstos. El muralismo se había convertido en un medio muy efectivo para la promoción de los ideales nacionalistas de la Revolución, a pesar de que los artistas vinculados al movimiento no podían negar por completo la influencia del arte europeo. Pero para fines de los años veinte los artistas más jóvenes estaban poco interesados en simplemente seguir los pasos de la generación establecida de pintores, y en apoyarse en el mecenazgo del gobierno, esencial para los muralistas. Diversas figuras, tales como Tamayo y Castellanos en la pintura y Villaurrutia en la literatura —amigos todos de Lola Álvarez Bravo—, buscaban desarrollar lenguajes artísticos individuales que, aunque mexicanos, no fueran necesariamente mexicanistas, en la manera tan enfática abrazada por Rivera. Para una fotógrafa como Álvarez Bravo, que tercamente se iba abriendo su propio camino creativo, la independencia y la individualidad proyectadas por estas figuras debieron haber sido un precedente muy oportuno.

5. *María Izquierdo*, años treinta. Colección: Manuel Álvarez Bravo Martínez, Ciudad de México. Cortesía: Galería Juan Martín

6. *Manuel Álvarez Bravo,*
Tehuantepec, ca. 1934.
Cortesía: Throckmorton Fine Art, Nueva York

Una amistad fue crucial para la supervivencia de Lola durante los años posteriores a su separación de Manuel, en 1934: la de la pintora María Izquierdo. A pesar del amor que le tenía a su esposo, Lola no podía aceptar su afición a las mujeres, así que tomó la difícil decisión de dejarlo y poner a su pequeño hijo al cuidado de la madre de Manuel. La propia Izquierdo, que había terminado poco antes su relación con Rufino Tamayo, y vivía con sus hijos (de un matrimonio anterior) en un departamento cercano al centro de la ciudad, le alquiló una habitación a Lola, con quien tenía mucho en común. Ambas provenían de pequeños pueblos de Jalisco, un estado que se consideraba como cuna de la cultura mexicana y hogar de un impresionante número de pintores reconocidos. Las dos habían tenido el deseo juvenil de dejar atrás la vida tradicional que se esperaba de ellas, y ambas tuvieron también relaciones fallidas con hombres creativos que llegarían a ser los más importantes en su campo. Lola terminaría viviendo con Izquierdo durante casi cinco años. En el México de esa época dos mujeres solteras viviendo juntas podían ser vistas con cierta sospecha. Sin dejarse intimidar, Izquierdo y Álvarez Bravo se deleitaron con su nueva libertad, y su departamento se convirtió en un lugar legendario de artistas y literatos. Álvarez Bravo recordaba noches al hilo llenas de risa, música y bebida. Cuando ella e Izquierdo estaban inquietas, la ciudad les ofrecía muchas formas de entretenimiento —visitas al circo que tanto amaba Izquierdo, al Café de París de día, y por la noche al Cabaret Leda, o a cantinas y salones de baile para obreros.[9]

Después de separarse de Manuel, Lola temía que los amigos comunes la abandonaran. Por el contrario, éstos fueron una inagotable fuente de apoyo. Algunos la ayudaron a encontrar trabajo, cosa que necesitaba desesperadamente. Por un breve periodo dio clases de dibujo en escuelas primarias, y obtuvo un puesto como archivista en el gobierno. Obtuvo su primer trabajo en fotografía a mediados de los años treinta, cuando se hizo colaboradora y luego fotógrafa principal de *El maestro rural* (láminas 7 y 8), revista publicada por la Secretaría de Educación Pública y dirigida al ejército de jóvenes maestros reclutados por la administración progresista de Cárdenas. Cada número contenía textos variados, que podían incluir ensayos pedagógicos, letras de canciones populares, guías de instrucción gimnástica y ensayos fotográficos sobre ferias de agricultura o la inauguración de nuevas escuelas. Al principio Álvarez Bravo se sintió angustiada con el trabajo, insegura de su capacidad para llevarlo a cabo completamente por sí misma. Pero pronto se sintió en confianza, al desarrollar un modo pictórico que complementaba la orientación socialista de la publicación. Fotografió grupos de jornaleros y acercamientos a manos trabajando, muchas veces vistas desde arriba, desde abajo o en tres cuartos. También fotografió niños jugando o en el salón de clases, sin caer en ningún sentimentalismo. Más bien los miraba con honestidad y realismo, quizás influida por la dureza de su propia infancia. En general, sus imágenes para *El maestro rural* fueron claras, poderosas y persuasivas, aunque carecen de la calidez y la complejidad pictórica de muchas de sus fotografías posteriores. Lo fundamental, tanto para Álvarez Bravo como para su obra futura, fue la experiencia que obtuvo al trabajar con gente de todo México, en especial con los indígenas y mestizos que darían forma al corazón y al alma de su obra.

En 1936 Lola Álvarez Bravo recibió su primer encargo importante: el registro de un amplio ciclo de elaboradas escenas bíblicas esculpidas en la sillería colonial del coro de la antigua iglesia de San Agustín. La sillería había sido transportada a un salón conocido como "El Generalito", en la Escuela Nacional Preparatoria, la más prestigiosa del país. El trabajo era difícil, pues requería que Lola cargara con un pesado equipo de iluminación hasta el sitio, además de su cámara de gran formato; una vez allí, apilaba sillas y mesas en precarias plataformas que le permitían alcanzar las secciones más altas de los relieves. Las fotografías tuvieron buen resultado (láminas 9 y 10) y fueron publicadas por la Universidad Nacional de México en 1941, en un elaborado catálogo de dos volúmenes.[10]

El encargo de "El Generalito" trajo otras comisiones para reproducir obras de arte en revistas y libros —especialmente para libros de arte mexicano escritos por Luis Cardoza y Aragón y Justino Fernández. En los años cuarenta, una década en que proliferaron en México las revistas ilustradas, Álvarez Bravo también comenzó a recibir encargos de fotoperiodismo. Aceptó un interminable torrente de encargos para revistas como *Hoy* y *Rotofoto*, ambas de interés general, *Futuro*, una publicación política mensual y *Espacios*, una revista de arte y arquitectura. Frances Toor, el director de *Mexican Folkways*, solicitó a Álvarez Bravo fotografiar objetos artesanales para su revista. Y su nuevo grupo de amigos, muchos de los cuales eran funcionarios en diversas entidades gubernamentales (como era común entre los intelectuales mexicanos de esa generación), le dio encargos para agencias del gobierno, incluida la documentación de la arquitectura popular y de la severa sequía que afectó partes del norte de México durante los años treinta.

EL MAESTRO RURAL

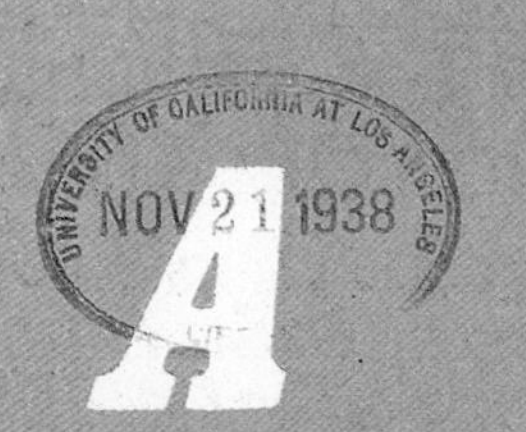

D • A • P • P

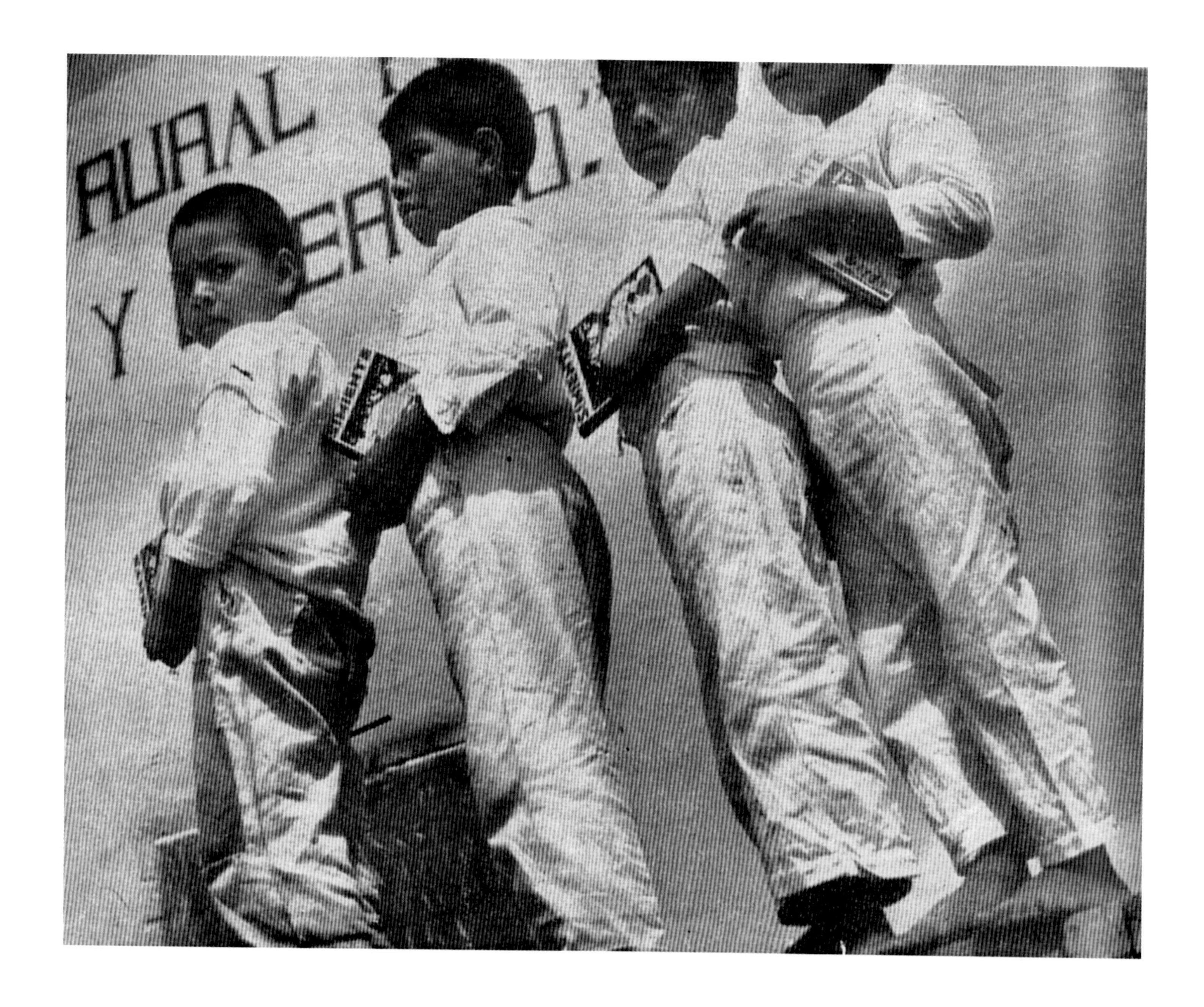

IZQUIERDA 7. Portada de *El maestro rural*, junio de 1938. Cortesía: University of California, Southern Regional Library Facility, Preservation Imaging Department

ARRIBA 8. De *El maestro rural*, marzo de 1936. Cortesía: University of California, Southern Regional Library Facility, Preservation Imaging Department

A pesar de las ínfimas sumas que recibía por este tipo de trabajos, que pudieran haber sido una tediosa tarea para un fotógrafo menos comprometido, para Álvarez Bravo fueron enseñanzas privilegiadas en el acto de ver. Al retratar obras de arte, estudiaba la manera en que los pintores componían, el uso de la luz para establecer la forma y el modo en que desarrollaban la narrativa en los murales."Creo que la mayor parte de mis logros se los debo a una educación plástica", declaró, refiriéndose tanto a las lecciones que tuvo gracias a su amistad con artistas, como a su amplia experiencia fotografiando obras de arte.[11] La fuerza que la sensibilidad de Álvarez Bravo tenía para la forma y la composición fue reiterada por un importante pintor de mediados de siglo, Alfonso Michel, quien se atrevió a decir en los años cincuenta: "Lola Álvarez Bravo es la mejor pintora de México."[12] La fotógrafa Mariana Yampolsky, la alumna más conocida de Álvarez Bravo, señaló que tenía mucho más conocimiento sobre artes visuales que muchos otros fotógrafos de su generación, incluidos aquellos

cuyo trabajo era considerado esencialmente "artístico" o más relacionado con las vanguardias.[13] Su interés por las artes visuales —y más extensamente, por el panorama completo de la producción cultural— tenía su origen en una filosofía que guió toda su carrera. Pensaba que para ser realmente un gran fotógrafo era necesario tener un profundo conocimiento de las artes, incluidas la música, la literatura y el cine. Este conocimiento ofrecería una comprensión más honda del mundo, enriquecería el espíritu y alimentaría la creatividad personal.[14] Esta visión sobre la práctica de la fotografía, guiada menos por un virtuosismo técnico que por el respeto a la diversidad de la expresión humana, brinda una clave para entender las motivaciones creativas de Álvarez Bravo. Poseía una fascinación por la vida y las actividades humanas, desde el lugar común hasta lo extraordinario. Gracias a la fotografía fue capaz de preservar, exaltar y amar la vida que la rodeaba.

En 1941 Álvarez Bravo comenzó un trabajo que mantendría durante treinta años, como responsable de fotografía del Instituto Nacional de Bellas Artes y Literatura (INBA), la principal instancia gubernamental dedicada a las bellas artes.[15] En este puesto tenía varias responsabilidades, como documentar las producciones de teatro, danza y otros eventos culturales, fotografiar obras de arte y cubrir ceremonias oficiales. Viajó ampliamente por México, en algunos casos para retratar sitios prehispánicos y en otros para obtener información visual sobre las tradiciones populares del interior. El cargo del INBA también incluía la enseñanza y el trabajo curatorial —especialmente en 1944, cuando organizó la exposición *Pintores jaliscienses*, una extensa revisión del trabajo de los pintores provenientes

IZQUIERDA 9. *Sillería del coro con escenas de San Agustín y del Génesis*, 1936. De Rafael García Granados, *Sillería del coro de la antigua iglesia de San Agustín* (México: UNAM, IIE, 1941). Reproducción digital póstuma a partir del negativo original. Colección: Center for Creative Photography, Tucson, Arizona

ARRIBA 10. *Sillería del coro*, (detalle de la escena de la Revelación), 1936. De Rafael García Granados, *Sillería del coro de la antigua iglesia de San Agustín* (México: UNAM, IIE, 1941). Reproducción digital póstuma a partir del negativo original. Colección: Center for Creative Photography, Tucson, Arizona

DERECHA 11. *Cemento-forma*, ca. 1931. Fotograbado de Tolteca, no. 22, marzo de 1932. Cortesía: University of California, Southern Regional Library Facility, Preservation Imaging Department

de su natal Jalisco. La larga vinculación de Álvarez Bravo con el INBA fue de capital importancia para ella, pues le dio estabilidad económica y un puesto de prestigio, así como la oportunidad de producir algunas de las imágenes más memorables de su carrera. A pesar de tener un horario de tiempo completo, halló el tiempo necesario para impartir un curso nocturno de fotografía desde mediados de los años cuarenta hasta 1960. Yampolsky describiría a Álvarez Bravo como una buena maestra, generosa con su tiempo y que disfrutaba de las discusiones con los estudiantes. La Escuela Nacional de Artes Plásticas (ENAP) le asignó un pequeño e inadecuado salón de clases y un rudimentario cuarto oscuro. Allí compartió su forma intuitiva de revelar, sin tanque de revelado y simplemente contando los segundos para luego revisar los resultados como si hubiera realizado un pequeño acto de magia.

Hacia 1940 Lola Álvarez Bravo era una figura muy activa en la escena cultural de la Ciudad de México, así como una mujer completamente independiente. En 1939 se mudó a su propio departamento en un edificio *art decó* en la Avenida Juárez, no lejos de la Alameda y del Palacio de Bellas Artes. A pesar de su éxito y de su creciente reputación, no se consideraba a sí misma una artista, y ciertamente no a la altura de Manuel, de quien al fin se divorció a finales de los años cuarenta. Sin embargo, sabía que su fotografía tenía valor; sus imágenes aparecían con frecuencia en libros y revistas, aun cuando muchas veces estaban mal impresas o carecían de crédito. Lola Álvarez Bravo también recibió otras formas de reconocimiento. En 1931 se le otorgó una mención honorífica (Manuel obtuvo el primer lugar) en un importante concurso nacional de arte, patrocinado por Cementos Tolteca, en el que participaron renombrados fotógrafos vinculados con las vanguardias (lámina 11).[16] Y no sería sino más tarde en su carrera cuando por fin expuso su obra, aunque siempre de forma esporádica. En 1935 participó en una exposición en Guadalajara sobre carteles revolucionarios hechos por artistas mujeres, con el fotomontaje *El sueño de los pobres* (lámina 82). Asimismo el curador del Philadelphia Museum of Art, Henry Clifford, incluyó varias de sus fotografías en *Mexican Art Today*, una extensa exposición colectiva llevada a cabo en 1943.[17] Un año después tuvo su primera muestra individual, compuesta por veintiocho fotografías, en el Palacio de Bellas Artes, paralela a una más amplia exposición sobre los pintores de Jalisco que ella misma había curado.

PORTAFOLIO: DÉCADA DE LOS TREINTA

PEDIDOS
A
DOMICILIO
EN TODO
EL D.F.
ERIC. 3-50-12

PÁGINA 23 12. *La visitación*, Tehuantepec, Oaxaca, ca. 1934. Colección: Manuel Álvarez Bravo Martínez, Ciudad de México. Cortesía: Galería Juan Martín

IZQUIERDA 13. *Leyendo* "El Informe", Ciudad de México, ca. 1938. Colección: Center for Creative Photography, Tucson, Arizona

ARRIBA 14. *Hiedra (Ruina)*, ca. 1930. Colección: Center for Creative Photography, Tucson, Arizona

GUANAJUATO
ZACATECAS
FRESNILLO
TORREON
CHIHUAHUA
C. JUAREZ
DURANGO
Sn LUIS Psi
SALTILLO
MONTERREY
N LAREDO
TAMPICO
ACAMBARO
MORELIA
GUADALAJARA

15. *Suma, resta y multiplica*, ca. 1938.
Cortesía: Throckmorton Fine Art,
Nueva York

16. *Sin título (Trapecistas)*, ca. 1938-40.
Colección: Center for Creative Photography,
Tucson, Arizona

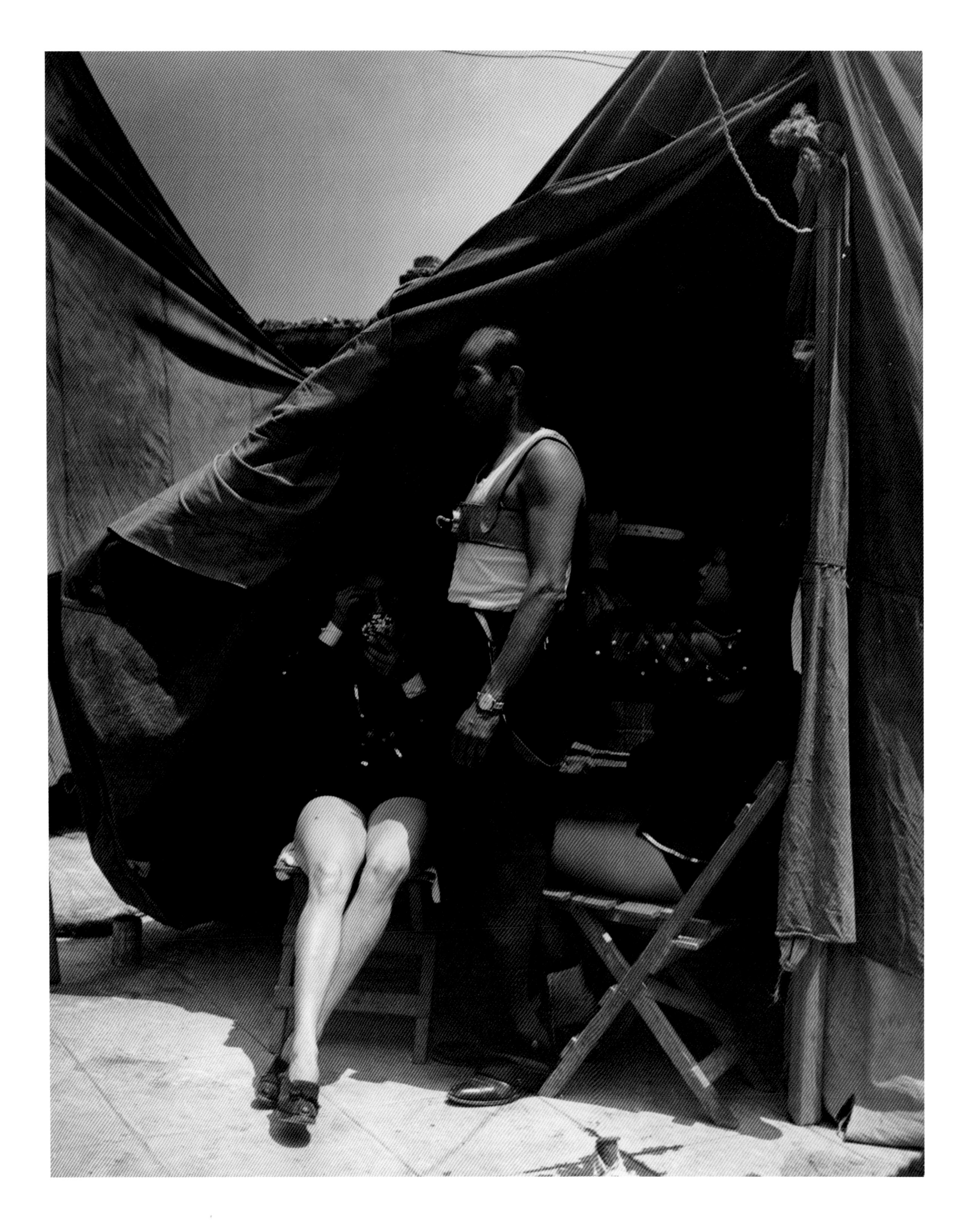

IZQUIERDA 17. *La última cena,*
(Pocos los escogidos), Erongarícuaro,
Michoacán, ca. 1935.
Colección: Center for Creative Photography,
Tucson, Arizona

DERECHA 18. *La madre Matiana*, ca. 1935.
Colección: Center for Creative Photography,
Tucson, Arizona

ARRIBA 19. *Sin título (Juan Soriano recostado)*, 1937. Cortesía: Throckmorton Fine Art, Nueva York

DERECHA 20. *Juan Soriano*, años treinta. Cortesía: Juan Soriano

21. *Marion Greenwood*, ca. 1935.
Colección: Center for Creative Photography,
Tucson, Arizona

22. *Rufino Tamayo*, ca. 1935.
Colección: Center for Creative Photography,
Tucson, Arizona

23. *Manuel Álvarez Bravo*, ca. 1938.
Colección: Center for Creative Photography,
Tucson, Arizona

24. *Judith Martínez Ortega*, ca. 1940.
Colección: Center for Creative Photography,
Tucson, Arizona

EL TERCER OJO

Busco la esencia de los seres y de las cosas, su espíritu, su realidad. El interés, la experiencia propia, el compromiso ético y estético forman el tercer ojo del fotógrafo. Hay quien lo enfoca hacia el paisaje, yo me siento atraída por los seres humanos.[18]

A lo largo de su carrera, Lola Álvarez Bravo produjo miles de negativos, que se encuentran ahora resguardados en los archivos del Center for Creative Photography de la University of Arizona. De todos éstos, ella consideraba que sólo algunas imágenes, quizá alrededor de unas doscientas, eran el verdadero cuerpo de su obra. Son las fotografías que la conmovían y que ella sentía que expresaban mejor su visión de México y, más ampliamente, de la humanidad. Explicaba cómo a veces, cuando revisaba hojas de contactos de cosas que había fotografiado por encargo, aparecía una imagen que la sorprendía. "Ay, ésta me gusta mucho, ésta es para mí", decía.[19] Paralelo a este sentido personal de identidad con su obra le correspondía una firme modestia con respecto a la misma. Álvarez Bravo decía que ella simplemente fotografiaba "lo que la vida me puso enfrente." Esta afirmación tiene algo de verdad, dado que eran sus clientes quienes habitualmente determinaban dónde y qué iba a fotografiar. Pero gracias a su puesto de trabajo su campo de investigación incluía casi todas las regiones de México, todas las clases sociales y actividades humanas, que iban de lo común a lo sobresaliente. Es claro que lo que le daba más satisfacción era describir su mundo cercano, y su obra se compone sólo de imágenes hechas en México. A pesar de que realizaba su obra por encargo, Álvarez Bravo encontró la forma de trascender este aspecto; para fines de los años treinta ya había articulado un lenguaje visual pleno de sutileza y sofisticación que iba mucho más allá de las necesidades del fotoperiodismo. Vista a través de su lente, una persona común y corriente adquiría un sentido de grandeza y los acontecimientos diarios una cualidad trascendental. En sus mejores momentos, sus imágenes líricas ofrecen tranquilos ensueños de la vida vivida en el momento.

Álvarez Bravo realizó muchas de sus imágenes más memorables —una obra diversa que incluye retratos, escenas de gente en la ciudad o el campo, desnudos y paisajes— de mediados de los años treinta a los años cincuenta. En algunos periodos de su carrera también produjo fotomontajes, un medio que le ofrecía la posibilidad de crear mundos imaginarios o de articular comentarios sociales específicos. Lo que más placer le daba era el ritmo de la vida —peluqueros al aire libre, escribanos en Santo Domingo, participantes de rituales religiosos, niños jugando, gente leyendo, caminando, esperando, mirando. Álvarez Bravo estaba siempre intrigada por la gente, la forma en que ésta vivía, cómo se comportaba y se movía, y por la infinidad de pequeños dramas que tenían lugar a su alrededor. A través de la fotografía se convirtió en una cuenta cuentos que desarrollaba sus temas con honestidad, curiosidad y un

25. *Unos suben y otros bajan*, Ciudad de México, ca. 1940. Colección: Center for Creative Photography, Tucson, Arizona

enorme afecto. El medio tenía valor para ella precisamente porque podía documentar los momentos que se desplegaban en las vidas a su alrededor. A diferencia de Manuel Álvarez Bravo, quien conscientemente infundiría en sus imágenes capas de simbolismo y de un sentido trascendente, las fotografías de Lola eran acerca de una persona, de un instante en el tiempo. A pesar de que no se había iniciado en la fotografía con el fervor con que lo había hecho su ex marido, a comienzos de los años cuarenta la fotografía era parte fundamental de su vida. Se aproximaba al medio con tanta versatilidad y tenía la cámara a su lado tan a menudo que se convirtió en su lenguaje, en un espejo de lo que ella era, de lo que veía y de lo que sentía. Es por esta razón que Lola tenía dificultad para hablar de su obra como un tipo de expresión artística refinada; se había vuelto simplemente una extensión de sí misma.

Al principio, la fotografía fue para mí una especie de contagio de Manuel Álvarez Bravo.[20]
Más allá de las obvias diferencias entre la obra de Lola y de Manuel Álvarez Bravo, su relación ha sido, principalmente fuera de México, un factor clave con respecto a su escaso reconocimiento. Él ha sido considerado por mucho tiempo como el fotógrafo mexicano por excelencia, cuya obra (para bien o para mal) llegó a definir una cierta sensibilidad latinoamericana en la era moderna de la fotografía. Su prodigioso talento —y el hecho de que en México se le considerara como la persona que había hecho de la fotografía una forma de las bellas artes— le dio un rápido reconocimiento a su carrera. Es famosa la declaración de Henri Cartier-Bresson ante la compararación que alguien hiciera de la

imaginería de Manuel Álvarez Bravo con la de Edward Weston: "No los comparen, Manuel es el verdadero artista."[21] De finales de los años veinte a comienzos de los treinta pasó rápidamente de un estudiado modernismo derivado de Weston y Modotti a la elaboración de un estilo propio, con el que registraba sutiles observaciones de la vida diaria al tiempo que evocaba aspectos de la realidad mexicana y, más ampliamente, del misterio de la existencia humana. La profunda influencia que ha ejercido en las generaciones posteriores sigue siendo visible en la obra de figuras tales como Flor Garduño y Graciela Iturbide.

Sería de extrañar que la obra de Lola no hubiera estado influenciada por Manuel Álvarez Bravo; su marca en la vida había sido simplemente demasiado fuerte. La única época en que no estuvo presente fue durante su temprana infancia, periodo que difícilmente recordaría después. Tenía vívidos recuerdos de sus primeros años en la Ciudad de México en compañía de su padre y su hermano, años que consideraba los más felices de su vida. En contraste con la riqueza en que había crecido, la extensa familia de Manuel era pobre y vivía en una vecindad que daba a la parte posterior de la Catedral de México. A pesar de las diferencias económicas, se hizo amigo del hermano de Lola y frecuentaba mucho la casa de los Martínez en la Calle del Factor (a unas cuadras de su departamento), donde jugaba y disfrutaba de sus suntuosos espacios. Lola era simplemente una compañera de diversión más, que no sólo tomaba parte en los juegos de pelota de los niños sino que ponía en fila, a lo largo de la pared, su gran colección de muñecas de porcelana francesa para representar las ejecuciones de la Decena Trágica, episodio de la Revolución especialmente violento que tuvo lugar en la Ciudad de México.

El padre de Lola murió repentinamente en 1916, mientras viajaban juntos en su vagón privado de tren rumbo a la Ciudad de México, de regreso de unas vacaciones en Veracruz. Fue recogida por un medio hermano mayor y por su esposa, quienes por coincidencia vivían en la misma vecindad que la familia de Manuel. Lola contaba que los años que siguieron fueron solitarios —la familia de su medio hermano le mostraba poco afecto, fue inscrita en una sucesión de estrictas y represivas escuelas reli-

IZQUIERDA 26. Manuel Álvarez Bravo, *Gorrión, claro*, 1939. De la carpeta *Fotografías de Manuel Álvarez Bravo*, 1977. Colección: Center for Creative Photography, Tucson, Arizona (donación de Louis H. Stumberg). Copyright: Herederos de Manuel Álvarez Bravo

DERECHA 27. Manuel Álvarez Bravo, *Los agachados*, 1934. De la carpeta *Quince fotografías de Manuel Álvarez Bravo*, 1974. Colección: Center for Creative Photography, Tucson, Arizona; (compra). Copyright: Herederos de Manuel Álvarez Bravo

giosas y dejó de disfrutar de sus privilegios económicos. Manuel comenzó a cortejarla cuando eran adolescentes. Al principio, se veían en la azotea de su edificio; más adelante se entretendrían con pasatiempos intelectuales en la ciudad y ella comenzaría a amar al tímido joven a quien había conocido a lo largo de casi toda su vida.

Una vez que el joven matrimonio de Manuel y Lola se estableció en Oaxaca, pasaban su tiempo libre paseando, tomando fotos con la cámara Century de visor de Manuel. Improvisaron un cuarto oscuro en la cocina de su modesto departamento, donde Manuel le enseñó a mezclar los químicos y a lavar los negativos en los apaxtles (vasijas tradicionales de cerámica). Lola debía imponerse para poder usar la cámara: "Déjame tomar una foto", rogaba a su esposo.[22] Manuel tomaba las fotos, pero yo le sugería escenas y cosas", contaba. "[Yo] participaba, aunque de manera marginal. Luego nos íbamos a la casa a trabajar en el cuarto oscuro."[23] *El mundo desde el balcón (en Oaxaca)* de Manuel Álvarez Bravo, de fines de los años veinte, no fue fotografiado por Lola, pero parece precisamente el tipo de imagen que ella habría propuesto. Retrata a un hombre y a un perro vistos desde los característicos grandes ventanales de las edificaciones coloniales mexicanas, un motivo que más adelante ella gustaba de fotografiar. Una de las primeras imágenes que se identifican como de Lola, tomada en este periodo, es *Hiedra (Ruina)* (lámina 14), una escena simple de hiedra y antiguas estatuas de piedra, fotografiada en Oaxaca.

Especialmente, como consecuencia de que los Álvarez Bravo compartían cámara y cuarto oscuro, es incierta la atribución de un puñado de otras obras de finales de los años veinte y comienzos de los treinta. Por ejemplo, ambos documentaron objetos de arte popular durante los años treinta para Frances Toor, pero los registros, incompletos o contradictorios, dificultan la identificación de muchas de estas imágenes como de Manuel o de Lola. De acuerdo con James Oles,[24] es posible que algunas veces Lola imprimiera un negativo de Manuel y por lo tanto Toor incorrectamente atribuyera la fotografía a Lola una vez publicada. Inclusive, algunos originales de mediados de los años treinta del retrato de Marion Greenwood (lámina 21), una pintora estadounidense que trabajó como muralista en México, tienen la firma de Lola, mientras que otros están firmados por Manuel, lo que imposibilita la confirmación definitiva de su autoría.

Incluso después de su separación, Lola expresaba su deuda creativa con Manuel. Reconocía también su importancia histórica, llamándolo el fundador de la fotografía moderna en México.[25] Al elogiar a su ex marido y analizar su obra, también marcaba sus diferencias: "Como fotógrafo", afirmó, "admiro muchísimo la sensibilidad y el talento de Manuel Álvarez Bravo; creo que tiene un sutileza y una percepción extraordinarias... Por último ha llegado a una etapa digamos de refinamiento en que lo que más le preocupa es una composición plástica preconcebida o concebida de antemano; es decir, busca las cosas ya con una predisposición estética que lo lleva a un perfeccionismo tal que casi lo enfría, se ha preocupado tanto de la perfección, de la luz, de tal pelito... en fin, que pierde el arrebato del momento, la emoción."[26]

Mi fotografía es búsqueda: la gran interrogante cuando salgo a las calles o voy al campo, es qué me voy a encontrar; de la fotografía me gusta lo que tiene de misterio, de sorpresa, de estar a la expectativa.[27]
Lola Álvarez Bravo afirmaba a menudo que había tenido tres vidas diferentes: una a partir de que murió su padre, la segunda cuando se casó con Manuel y la tercera cuando se separó. Fue durante esta tercera vida, que comenzó a mediados de los años treinta, cuando se desarrolló con impresionante rapidez como fotógrafa y estableció su particular vocabulario visual. En contraste con Manuel, ella buscaba trabajar de manera espontánea y se dejaba guiar por el momento. Describía el proceso de ver con la cámara como algo más emocional y visceral que intelectual. Hablaba del "tercer ojo" del fotógrafo, el cual generaría una especie de "impacto" que la inducía a oprimir el obturador. Álvarez Bravo confiaba en la intuición y en lo fortuito, pero también logró una destreza tal al componer con la cámara, que le permitió presentar incluso los momentos más ordinarios como el despliegue de un drama. En fotografías tan diferentes como *Sin título (Trapecistas)* (lámina 16), *Mar de ternura* (contraportada) y *Piedras nada más* (lámina 67) evocaba los lazos emocionales que se daban entre sus personajes y sugería cómo ese sentido de vinculación se extendía hacia afuera, hacia el medio que habitaban.

De hecho, Álvarez Bravo enfatizaba con frecuencia el contexto físico de aquellos a quienes fotografiaba. A menudo retrató gente enmarcada por ventanas, inclinada contra vanos de puertas, o dispuesta en oposición a algún otro elemento arquitectónico. En *El número 17* (lámina 52) y *Yalalag* (lámina 56), Álvarez Bravo utilizó ventanas y puertas para enmarcar a sus personajes, convirtiendo escenas ordinarias en pequeños momentos específicos del teatro de la calle. De manera similar, *En su propia cárcel (11a.m.)* (lámina 39), donde muestra a una joven mirando hacia afuera de la ventana, toda la composición está marcada por sombras entrecruzadas que actúan no sólo como metáfora del estar atrapado, sino que también evocan la arquitectura con la que Álvarez Bravo creció en la Ciudad de México.

A Lola Álvarez Bravo le gustaba también capturar el cuerpo en reposo, cuando expresa la vida reducida únicamente a un estado simple de ser. En *Desalojados* (lámina 57), dos niños pobres descansan en un petate, y ofrecen una escena que es, simultáneamente, representación conmovedora de la pobreza y de una tranquila relajación. En otra imagen, *Dormido* (lámina 42), retrató a un joven sentado en un banco e inclinado sobre una barra al aire libre, su debilitada forma escuetamente delineada por la fuerte luz del mediodía.

En varios aspectos importantes el trabajo de Álvarez Bravo está más en deuda con Henri Cartier-Bresson, quien le daba a los momentos pequeños e incidentales de la vida un sentido de significado más elevado. Cartier-Bresson visitó México por primera vez en 1934, donde hizo fotografía y expuso con Manuel Álvarez Bravo en el Palacio de Bellas Artes, en una muestra que capturó la atención de la comunidad artística de la ciudad. Regresó en 1963, y en esa ocasión Lola lo retrató frente a un mural en proceso de Siqueiros, mientras aquel tomaba una foto con su pequeña Leica y sin que se percatara de que estaba siendo fotografiado. Cartier-Bresson llamaba a la cámara "un instrumento de intuición y espontaneidad", definición que Lola Álvarez Bravo seguramente aceptaba. También se inspiró en su habilidad para capturar momentos pasajeros en fotografías compuestas con rigor. En 1962, un portafolio de sus fotografías apareció en *Cuadernos de Bellas Artes*, revista publicada por el INBA. Álvarez Bravo incluyó una cita de *El momento decisivo* de Cartier-Bresson que dice en parte: "...En fotografía, la cosa más pequeña puede ser un gran tema... Miramos y mostramos el mundo a nuestro alrededor, pero es un acontecimiento en sí lo que provoca el ritmo orgánico de las formas", aseveración que encuentra eco en muchas de las fotografías de Álvarez Bravo, las cuales revelan la sutileza poética de gestos y actividades aparentemente casuales."[28]

Antes de darse a conocer como fotógrafa creativa, Lola Álvarez Bravo había establecido su reputación en México como retratista. Desde el principio de su carrera fotografió a amigos que resultaron ser también los artistas y escritores más importantes de su tiempo. Muchos de ellos fueron participantes activos y colaboraron con ella para producir las imágenes que se convertirían en las más representativas de sí mismos. Retrató a los grandes muralistas Rivera (lámina 97), Orozco y Siqueiros

ARRIBA 28. *Francisco Toledo*, Cuernavaca, Morelos, 1981. Cortesía: Throckmorton Fine Art, Nueva York

DERECHA 29. *Francisco Toledo*, Cuernavaca, Morelos, 1981. Reproducción digital póstuma a partir del negativo original. Colección: Center for Creative Photography, Tucson, Arizona

(lámina 87), así como a otros pintores como Tamayo (lámina 22), Izquierdo (láminas 5 y 91) y Castellanos (lámina 92). También fotografió a casi todos los escritores mexicanos conocidos, incluidos Salvador Novo (lámina 88), Xavier Villaurrutia y, de generaciones posteriores, Octavio Paz, Carlos Fuentes (lámina 89) y Carlos Monsiváis.

Los más conocidos retratos de Álvarez Bravo —y de hecho las obras que en un principio generaron mayor reconocimiento a su trabajo— son los de su amiga, Frida Kahlo (láminas 98-100). Kahlo fue una de las mujeres mexicanas más documentadas, comenzando por los retratos de infancia hechos por su padre Guillermo Kahlo, un importante fotógrafo de arquitectura. Conforme se fue haciendo famosa, posó para Manuel Álvarez Bravo, el fotógrafo estadounidense de celebridades Nickolas Muray, Imogen Cunningham y muchos otros. Los retratos de la pintora hechos por Lola Álvarez Bravo destacan por su intimidad y por el énfasis en el ambiente, la famosa Casa Azul, la residencia de Coyoacán que tan profundamente expresó el amor de Kahlo por la cultura mexicana.

Tomados principalmente entre 1944 y 1945, los retratos de Lola Álvarez Bravo reflejan el dolor emocional y físico de Kahlo durante un periodo en el que había sufrido repetidas cirugías. En estas imágenes aparece con frecuencia absorta, mirándose en espejos o viendo a lo lejos con tristeza. Kahlo incluso le permitió a Álvarez Bravo entrar a su cuarto, donde ésta fotografió a la artista sentada en su cama, mostrando abiertamente una expresión severa y melancólica. Álvarez Bravo pudo hacer estos retratos tan emocionales y honestos no sólo por la cercanía que había entre ellas, sino también porque Kahlo disfrutaba el ser fotografiada por mujeres. Frente a Álvarez Bravo, reveló de manera voluntaria su ser más profundo, en contraste con la fachada icónica que presentaba ante tantos otros.[29] Álvarez Bravo comprendió con misteriosa agudeza la dualidad interna esencial de Kahlo. "Frida vivía rodeada de espejos", dijo Álvarez Bravo, "y en realidad tenía dos vidas. Podía ser alegre y superficial, una persona entera que no sentía dolor; pero en el fondo, creo que ella sentía estar viviendo una vida robada o prestada."[30] Las fotografías son también reflejo de su larga amistad.

Cuando Kahlo murió en el verano de 1954, Álvarez Bravo ayudó a preparar su cuerpo. También hizo varias fotografías *post mortem*, algunas de las cuales nunca han sido publicadas, incluida una perturbadora escena de los amados perros de Kahlo protegiendo la puerta de su cuarto (lámina 30).

En marcado contraste con los retratos de amigos, y de conocidos miembros de la elite cultural mexicana, Álvarez Bravo fotografiaba con frecuencia a indígenas, sujetos anónimos de la amplia clase marginada que persistía en el país. Ya desde su privilegiada infancia había mostrado una profunda empatía con los ciudadanos más pobres de México. Al ver los murales recientemente pintados por Diego Rivera en el edificio de la Secretaría de Educación Pública en la Ciudad de México, lo que la conmovió fueron las escenas de campesinos trabajando en grandes telares, un emblema de la subyugación.[31] Años después, cuando vivía en Oaxaca, observó directamente la vida de los indígenas, logrando comprender tanto sus modos tradicionales de vida como sus luchas contra una modernidad que los aplastaba. La fotografía se convirtió en un medio muy efectivo para confrontar a los miembros de las clases medias y altas con las realidades de una existencia en México que preferían ignorar; era también un medio ideal para capturar modos de vida que estaban desapareciendo rápidamente. Aun cuando las imágenes de Álvarez Bravo pocas veces fueron abiertamente políticas, se dio cuenta de que podía utilizarlas —empezando por su trabajo en *El maestro rural*— para llamar la atención sobre la dignidad de los indígenas y denunciar las penurias que sufrían.

Álvarez Bravo registró algunas veces momentos sórdidos en la vida de los pobres de México, como en *Por culpas ajenas* (lámina 46), donde captura a una limosnera ciega con la boca abierta, los

desgarradores ojos henchidos de una desesperación callada. El retrato tiene tan aguda inmediatez que podría parecer la foto fija de una película. Otras imágenes de indígenas —*Piedras, nada más* (lámina 67), *El ruego* (lámina 60) y *La espina* (lámina 37)— resuenan con una tranquila belleza, subrayando la hermosura de unas vidas marcadas por el rito, la tradición y el contacto con la tierra.

Con frecuencia los modelos de Álvarez Bravo no se percataban de la mirada de la cámara. Ocasionalmente se escondían a la vista, como en *Llanto* (lámina 49), en donde la figura central se cubre el rostro con su rebozo. La fotógrafa era muy consciente del dilema ético que hay en hacer estos retratos furtivos; sin embargo, consideraba estas imágenes como testamento de sus personajes, y una forma de responsabilidad. "Mi compromiso", dijo, "es guardar y conservar la belleza de la raza y hacer que ante su indigencia, su abandono, su muerte paulatina y terrible sientan vergüenza los causantes de todas sus miserias. Creo que estoy obligada a exponer una realidad de la que todos somos culpables."[32]

Entierro en Yalalag (lámina 58), una de las imágenes más conocidas de Álvarez Bravo (y una que ella misma adoraba y decía que era "un milagro"),[33] evoca claramente su respeto por las costumbres indígenas. Retrata la lenta procesión de un grupo de zapotecas por un sendero en el monte; la mayoría lleva largos huipiles blancos y rebozos en la cabeza, iluminados por una suave luz de mediodía que les confiere un aura casi sobrenatural. Realizó la fotografía en Yalalag, un pueblo aislado en los altos de Oaxaca. Había ido ahí en 1946, como fotógrafa del INBA, para recoger información sobre las tradiciones de danza popular para Ana Sokolov, directora del Ballet Nacional. Una vez más, Álvarez Bravo realizó una fotografía que ella misma reconocería como verdaderamente suya. Mucho después de su viaje a Yalalag, recordaba vívidamente el día que la tomó. Al oír música, creyó primero que se trataba de una fiesta, pero luego se dio cuenta de que era un funeral. Álvarez Bravo buscó primero, entre los vericuetos del caserío, un punto de observación conveniente para fotografiar la escena, pero se encontró en el vano de una puerta en el momento en que pasaban los dolientes, justo a tiempo para realizar una de las obras más memorables de su carrera.[34]

30. *Sin título (Dos perros escuincles fuera de la habitación de Frida Kahlo después de su muerte)*, 1954. Colección privada

Un elemento clave de *Entierro en Yalalag* es su cualidad cinética. Álvarez Bravo capturó los lentos y rítmicos movimientos de la procesión, invocando un profundo sentimiento de duelo. Es evidente en muchas de sus fotografías tanto su habilidad para evocar movimiento en el tiempo como una narrativa que va más allá del plano mismo. Numerosas veces retrató a sus modelos mirando o gesticulando

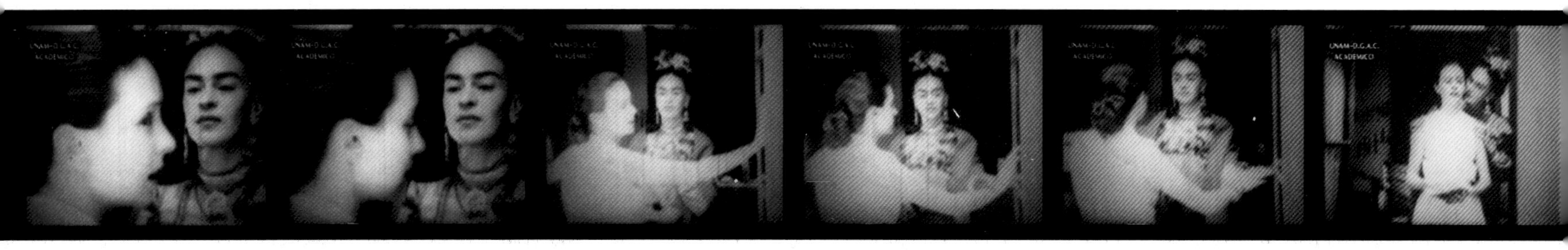

abiertamente, lo que sugiere la continuación de una acción que se prolonga fuera de nuestra vista. *A ver quién me oye (¿Me oirán?)* (lámina 1) presenta la escena provocadoramente incompleta de un músico asomándose a una esquina, sin percatarse de que él mismo está siendo observado por un niño al fondo. Otras imágenes muestran figuras tomadas en medio de una acción, como en *Unos suben y otros bajan* (lámina 25), una clara escena moderna de estudiantes recorriendo tres niveles de escaleras en la Universidad.

De hecho, Álvarez Bravo tenía una profunda pasión por el cine, y seguramente estaba influenciada por las técnicas cinematográficas. Ya en 1931 había ayudado a fundar la primera sociedad fílmica de México, que proyectaba películas de figuras tales como Sergei Eisenstein, Luis Buñuel y el documentalista soviético de vanguardia Dziga Vertov en un salón de actos de la Universidad Nacional. Dos años después, bajo los auspicios de la recientemente formada LEAR, continuaron presentando filmes en otro auditorio de la ciudad. Álvarez Bravo tuvo la oportunidad de ver rodajes en acción. Cuando Eisenstein visitó México en 1931, ella y Manuel fueron testigos de la filmación de una secuencia central de *¡Que viva México!* Unos años después, poco antes de su separación, acompañó a Manuel al Istmo de Tehuantepec, donde éste realizó un documental sobre la cultura matriarcal generalizada en esta región del sur de México.

Durante buena parte de su carrera, Álvarez Bravo soñó con hacer filmes, pero tuvo poca suerte en este terreno. En los años sesenta dirigió un documental de diecisiete minutos, producido comercialmente, sobre la monumental serie de murales pintados por Diego Rivera a mediados de los años veinte en la escuela de agricultura de Chapingo, cerca de la Ciudad de México. A pesar de que la producción estuvo llena de problemas, y el filme se proyectó pocas veces, Álvarez Bravo encontró gran satisfacción en esta empresa. Poco antes, en 1951, había iniciado su propio proyecto, lo que sugiere su agudo deseo por experimentar con la cinematografía de modo muy creativo. Álvarez Bravo invitó a Frida Kahlo a actuar en el filme; ésta aceptó gustosa, y Diego Rivera ofreció apoyo económico. Se filmó una pequeña prueba (lámina 31), y al final esto fue todo lo que se llevó a cabo del proyecto, debido a la deteriorada salud de Kahlo. Tina Misrachi (hoy Tina Martin), joven bailarina hija del galerista de Rivera, también actuó en la película. Ésta cuenta que el libreto era de Jorge Hernández Campos, quien entregó apenas algo más que un bosquejo; la filmación, que tomó poco más de un día, estaba marcada por cierto grado de improvisación. La cinta que se conserva —en pobres condiciones y necesitada de restauración— comienza con la escena de una joven (Misrachi) moviéndose alrededor del patio de la residencia de Kahlo, la Casa Azul. En una segunda secuencia, Kahlo está sentada en un cuarto y se levanta cuando la joven entra. Al estar una frente a la otra, la chica vuelve la cabeza y grita

31. *Fotos fijas de Frida Kahlo y Tina Misrachi del proyecto de film sin título de Lola Álvarez Bravo, 1951.*
Colección: Center for Creative Photography, Tucson, Arizona

(la película es muda); en ese momento Kahlo la toma de la mano y la lleva al cuarto. En la escena final Kahlo cierra la puerta de la habitación, mirando seductoramente al lente de la cámara. Álvarez Bravo concebía el pasaje como una alegoría de la muerte, siendo la joven, no la enferma Kahlo, su personificación. De manera provocativa, la invita a pasar. Con tan escasa película, es difícil juzgar el potencial de Álvarez Bravo como cineasta, pero su conocimiento del cine de calidad y su perdurable ambición por trabajar con este medio hacen suponer que podría haber ampliado con éxito la visión artística que había establecido en fotografía.[35]

Además del compromiso de vida de Álvarez Bravo por utilizar la fotografía para hacer la crónica de la vida mexicana, también estaba interesada en formas menos tradicionales de trabajo con el medio. Algunos de sus experimentos se dieron dentro del género que más utilizó —el retrato—, particularmente cuando fotografiaba a personajes que eran amigos cercanos, como Julio Castellanos y Juan Soriano. Conoció a Soriano en 1935, cuando éste era aún un joven pintor que trabajaba en Guadalajara. Animado por Álvarez Bravo y algunos otros, pronto se trasladó a la Ciudad de México, donde colaboraron en repetidas ocasiones; él se convirtió en modelo de sus fotografías y ella de sus lienzos. Cuando viajaron en 1937 a uno de sus sitios favoritos, la playa de Chachalacas en el estado de Veracruz, lo fotografió envuelto en una sábana blanca. En un retrato (lámina 19), él levanta una pierna y echa hacia atrás la cabeza, ofreciendo una imagen lánguida del cuerpo masculino. Es una imagen de éxtasis tranquilo, y registra el primer encuentro del joven artista con el mar.

Álvarez Bravo llevó a cabo sus experimentos artísticos más radicales al trabajar el fotomontaje, pues éste le permitió construir imágenes con mensajes inequívocos y deliberados. Realizó su primera obra en este formato, *El sueño de los pobres* (lámina 82), en 1935, para una exposición que se llevó a cabo en Guadalajara sobre carteles revolucionarios hechos por mujeres artistas. La imagen, de un niño pobre dormido y a punto de ser anegado por las monedas que salen de una máquina, era algo nuevo en México. Aunque Tina Modotti había experimentado con el fotomontaje, es más probable que el trabajo de Álvarez Bravo haya estado influenciado por artistas europeos de izquierda de finales de los años veinte y treinta, como John Heartfield y Josep Renau. Denuncia de la pobreza que azotaba a México, a pesar de las políticas progresistas del presidente Lázaro Cárdenas, *El sueño de los pobres* es uno de los comentarios sociales más fuertes en la obra de Álvarez Bravo. Demuestra también su sofisticación visual. No regresó a esta forma de hacer fotografía sino hasta una década después, cuando creó el imaginativo *El sueño del ahogado* (lámina 83). Desenfadada escena surrealista, retrata la cabeza de un hombre (Juan Soriano) sumergida parcialmente en agua mientras un grupo de bailarinas posa en una playa rocosa. Esta imagen forma parte de un puñado de fotomontajes más pequeños y juguetones de Álvarez Bravo, que dan otra muestra de la exploración creativa con su querido amigo, lo que sugiere su inclinación a tomar riesgos y experimentar con lenguajes visuales ajenos a su forma tradicional de trabajar.

En los años cuarenta y cincuenta, Álvarez Bravo recibió encargos para hacer fotomontajes; algunos fueron ampliados como fotomurales y mostrados públicamente —en especial en una fábrica de la norteña ciudad de Monterrey y en el Palacio de Bellas Artes de la Ciudad de México. Mariana Yampolsky ha señalado la habilidad técnica y el entusiasmo con que Lola abrazó estos proyectos. Dos de sus fotomontajes de los años cincuenta —la época de prosperidad y crecimiento económico en México debido a las ganancias petroleras durante la posguerra— son visiones extrañamente premonitorias de una modernidad malograda. *Anarquía arquitectónica de la Ciudad de México* (lámina 85), exhibida durante mucho tiempo en el Palacio de Bellas Artes, retrata el centro de una ciudad tomada por altos edificios que copan casi cada centímetro del espacio abierto. Cuando hizo esta obra en 1953, la población de la capital mexicana era de tres millones de habitantes; desde los años ochenta, se ha vuelto una megalópolis tan vasta y aparentemente inmanejable que los demógrafos no se ponen de acuerdo en el número de sus habitantes, que probablemente ha rebazado los veinte millones. Asimismo, dos fotomontajes realizados al año siguiente, *Computadora 1* (lámina 84) y 2, muestran mundos tomados por la tecnología, con seres humanos reducidos por la maquinaria que los envuelve.

Álvarez Bravo se involucró en los años cincuenta en otro proyecto inusual para ella, al realizar las fotografías para *Acapulco en el sueño*, un lujoso libro creado por el poeta y novelista Francisco Tario. El año de 1950 marcó el inicio de la época de oro de Acapulco, un periodo en el que los nuevos y lujosos hoteles hicieron del lugar un imán para las celebridades de Hollywood y los socialités. Las fotografías revelan las disparatadas formas de vida que coexistían en Acapulco. Hay escenas de pescadores trabajando y de turistas ricos en clubes nocturnos; vistas de paisajes tropicales prístinos y el crecimiento del paisaje urbano a lo largo de la costa. Algunas de las fotografías del libro están marcadas por un espíritu de parodia poco frecuente en la obra de Álvarez Bravo, especialmente en imágenes de modelos en traje de baño posando melodramáticamente, ya sea en la playa o en yates. *Acapulco en el sueño* incluye también diversos paisajes, género que tenía sólo un interés marginal para una artista más atraída por la exploración de la condición humana. Muchos de sus paisajes de Acapulco son convencionales (refulgentes vistas marinas y dramáticas puestas de sol), pero algunos reflejan una representación más individual de la naturaleza. Las más atractivas son aquellas imágenes en que utiliza el ambiente natural a manera de contexto para la forma humana, como en las tres imágenes llamadas *Tríptico de los martirios* (lámina 73) —retratos de mujeres semi desnudas posando en la playa, rodeadas de una exuberante vegetación. Estas fotografías demuestran la inclinación de Álvarez Bravo por evocar la sensualidad del cuerpo femenino, pero su título alude también a una lectura más crítica. Las modelos de Álvarez Bravo son prostitutas, y al fotografiarlas como figuras anónimas que muestran sus pechos a la cámara, revela un lado más escabroso, incluso trágico, del desarrollo del turismo en su país.[36]

Una de las últimas fotografías del libro de Acapulco, *Homenaje* (*Homenaje a Salvador Toscano*) (lámina 76), registra crudamente el cuerpo de una garza muerta en la playa. La tituló así pues se enteró de que su viejo amigo, arqueólogo y escritor, había muerto en un accidente aéreo el mismo día en que tomó la foto. La composición actúa como una meditación sobre la dureza de la muerte, y añade un subtono elegiaco a un libro planeado como una especie de tributo al puerto.[37]

Poco después de terminar el proyecto de Acapulco, Álvarez Bravo abrió una galería de arte en la Ciudad de México, demostrando una vez más su amor por el arte y los artistas, su inclinación a tomar riesgos, y su propensión a ser activa y rica en recursos imaginativos. Renovó un edificio de la calle de Amberes (en el barrio hoy conocido como Zona Rosa), añadió un cuarto oscuro en el fondo del lugar, y abrió oficialmente la Galería de Arte Contemporáneo en octubre de 1951. La exposición inaugural incluyó obra de algunos de los artistas más conocidos de México —Siqueiros, Kahlo, Clemente Orozco, Dr. Atl (Gerardo Murillo), Tamayo, Leonora Carrington y muchos otros. Álvarez Bravo cambiaba las exposiciones cada mes, y a veces curaba ambiciosas muestras temáticas, como una de 1952, que exploraba el tema del judas en el arte mexicano.[38] La galería se convirtió también en la sede de uno de los acontecimientos más célebres de la historia del arte moderno de México: Álvarez Bravo presentó en abril de 1953 la primera exposición individual de Frida Kahlo en su país, un año antes de su muerte. A pesar de su deteriorada salud, Kahlo estaba decidida a asistir a la inauguración, así que previamente hizo llevar su cama a la galería y llegó de su casa en una camilla. Allí fue recibida por una multitud de amigos que brindaron y cantaron corridos a su amada Frida. La exposición recibió atención de la prensa internacional, y Kahlo, la vieja amiga de Álvarez Bravo, recibió al fin el tan merecido reconocimiento profesional en su propio país.

La galería nunca fue un gran éxito económico, por lo que Álvarez Bravo decidió cerrarla a fines de 1958. Al año siguiente viajó con amigos por Europa, pero en 1961 sufrió un infarto. Después de su convalecencia continuó trabajando, aunque no con la intensidad que había caracterizado su ca-

rrera a partir de mediados de los años treinta. Hacía esporádicamente retratos, recibía comisiones de agencias gubernamentales y daba clases. Por un tiempo, regresó también a su viejo mundo del trabajo periodístico, esta vez ayudando a coordinar la sección de modas de *Novedades*, uno de los periódicos más importantes de la Ciudad de México. Continuó haciendo fotografías hasta los años ochenta, pero hacia mediados de la década disminuyó aún más su producción, debido tanto a su paulatina pérdida de la vista por un glaucoma, como a que su salud se estaba deteriorando en general.

No tengo mayores pretensiones artísticas, pero... si algo resulta útil de mi fotografía, será en el sentido de ser una crónica de mi país, de mi tiempo, de mi gente, de cómo ha ido cambiando México, hay cosas de México en mis fotos que ya no se ven más... Si tuve la suerte de encontrar y plasmar esas imágenes, pueden servir más adelante como un testimonio de cómo ha ido pasando y transformándose la vida; imágenes que me llegaron muy hondo, como electricidad, y me hicieron apretar la cámara.[39]

Para la época en que Lola Álvarez Bravo tomaba sus últimas fotografías a mediados de los años ochenta, había trabajado de manera notable a lo largo de medio siglo. Durante esas décadas fue testigo de cambios tremendos. La hermosa capital que había sido su hogar cuando niña era ahora una de las ciudades más grandes del mundo. El terremoto que sacudió a la Ciudad de México en 1985 dañó severamente varias partes del Centro Histórico, incluido su barrio, y Álvarez Bravo tuvo finalmente que dejar el departamento que había sido su casa desde 1939. Se mudó a un edificio en la Colonia

32. *Vista de la Galería de Arte Contemporáneo, Ciudad de México, 1950.*
Reproducción digital póstuma a partir del negativo original.
Colección: Center for Creative Photography, Tucson, Arizona

Roma, que había construido como inversión en la década de los sesenta, y donde pasaría los años que le quedaban. El paisaje cultural del país también había cambiado drásticamente. La relativamente pequeña comunidad de artistas y escritores que la apoyó y estimuló ya no existía. En su lugar había un mundo cultural mucho más amplio y complejo, dominado por una generación de intelectuales políticamente activos que surgieron a fines de los años sesenta —un periodo volátil en la historia moderna de México, definido por las manifestaciones estudiantiles y la masacre de Tlatelolco en 1968.

El mundo de la fotografía también había cambiado mucho. Aunque la tradición documental, predominante en la fotografía mexicana durante la mayor parte del siglo XX seguía vigente, estaba siendo reinterpretada y redefinida por una nueva generación, cuyos miembros buscaban ubicar su trabajo como una incisiva crítica política. Las mujeres fotógrafas, en buena parte gracias al ejemplo pionero de Álvarez Bravo, comenzaron a predominar a principios de los años ochenta, y las más exitosas de entre ellas, Mariana Yampolsky, Graciela Iturbide y Flor Garduño, exponían y publicaban su obra de manera internacional. Asimismo, sus impresiones empezaban a tener mercado, una forma de reconocimiento a la que Álvarez Bravo no tuvo acceso sino hasta el final de su vida. Más aún, muchos fotógrafos jóvenes estaban trabajando de manera radical con nuevos formatos, exponiendo con frecuencia trabajos conceptuales de gran escala al lado de la obra de pintores e instalacionistas.

Álvarez Bravo ya no era una figura central en el mundo artístico de México, pero lentamente llegó un mayor aprecio por sus logros. Fue homenajeada varias veces en su natal estado de Jalisco, incluso con una galería que lleva su nombre en el Teatro Degollado, uno de los centros culturales más ilustres de Guadalajara. Hubo también libros y exposiciones, especialmente *Lola Álvarez Bravo: recuento fotográfico*, publicado en 1981. Aunque mal impreso, este fue el primer volumen importante que documentara toda su obra (libros con sus retratos se habían publicado en 1965 y 1980) e incluía entrevistas con Álvarez Bravo de importantes escritores mexicanos. El parteaguas más significativo llegó indirectamente, gracias a la popularidad de Frida Kahlo, que alcanzó su apogeo a finales de los años ochenta y principios de los noventa. Lola Álvarez Bravo había hecho una de las más grandes series de retratos de la artista, y hubo interés en exponer estas imágenes. En 1991 se organizaron tres exposiciones diferentes, una organizada por una asociación cultural mexicana de Dallas, y otras en galerías comerciales de la Ciudad de México y Nueva York. El éxito de estas muestras llevó a una gran retrospectiva en 1992 en el Centro Cultural Arte Contemporáneo, entonces uno de los museos más prestigiosos de la Ciudad de México.[40] Finalmente, poco antes de su muerte, Lola Álvarez Bravo había obtenido un nivel de aprecio y éxito que no hubiera imaginado medio siglo antes, cuando casi todos los días estaba inmersa en hacer fotografías.

33. Lourdes Almeida (n. 1952).
Lola Álvarez Bravo, 1984.
Cortesía: Lourdes Almeida

Cuando a finales de los años setenta se le preguntó cómo sería una fotografía de su vida, Álvarez Bravo afirmó que sería un fotomontaje que mostrara a todos sus amigos, toda la gente, pasada y presente, que ella había amado. Para entonces, había sobrevivido a casi todos sus contemporáneos —Izquierdo, Kahlo, Rivera, Siqueiros, Tamayo, Castellanos y muchos otros. Uno de los pocos de su generación que la sobrevivió fue Manuel Álvarez Bravo, quien murió a los cien años en 2002. Tenía amigos más jóvenes —principalmente el historiador del arte Olivier Debroise, quien en sus últimos años hizo mucho por revivir su reputación.

Sin duda, las amistades eran fundamentales para Lola Álvarez Bravo, y sus relaciones personales cumplían un papel determinante en el desarrollo de su vida profesional. Los amigos de Lola han mencionado continuamente su inmensa calidez y su generosa naturaleza, su profundo sentido del orgullo y su fuerte carácter. Muy animada, le gustaba conversar, y era conocida por su mordaz sentido del humor. Su vida, en conjunto, fue difícil. Sufrió la pérdida de sus padres y de su hermano antes de llegar a la edad adulta. La protegida vida de que disfrutó en su niñez terminó abruptamente, siendo sustituida por la soledad y la incertidumbre. Vivió un gran amor romántico, Manuel Álvarez Bravo, pero terminó su matrimonio antes de arriesgarse a ser abandonada. Álvarez Bravo mantuvo otras relaciones de manera discreta, pero de acuerdo a su amiga y galerista Malú Block, nadie podría nunca, a sus ojos, compararse con Manuel.[41] Y a pesar de su éxito, a menudo se encontraría con el chovinismo, y ocasionalmente con una hostilidad abierta, especialmente al principio de su carrera. En sus últimos años, sentía con cierta amargura que el reconocimiento por su trabajo tardara tanto en llegar.

A pesar de sus muchas batallas, la fotografía terminó siendo un modo de expresión ideal para Álvarez Bravo. Una vez, al explicar cómo lograba fotografiar situaciones dolorosas, especialmente a los indígenas empobrecidos y marginados que eran un tema tan significativo en su trabajo, afirmó que se aproximaba a ellos "por el camino de la luz".[42] Esta explicación subestima el hecho de que, sobre todo, Álvarez Bravo fue una fotógrafa humanista; su trabajo era una extensión natural de su vida y de los valores que la motivaban. Para ella, fotografiar era un acto de afirmación, tanto de sí misma como de sus personajes —cada fotografía lograda, un pequeño milagro. Amaba a la gente y las cosas que pasaban frente a su cámara, y su trabajo es una expresión tangible de lo mucho que quería compartir aquello que la conmovía. La fotografía se convirtió en una perfecta mezcla de emoción, intelecto y experiencia, la forma de aprehender un momento de la vida y preservarla en una epifanía de luz.

PORTAFOLIO: DÉCADAS DE LOS CUARENTA-OCHENTA

PÁGINA ANTERIOR 34. *Espión*, ca. 1948.
Colección: Center for Creative Photography,
Tucson, Arizona

ARRIBA 35. *Sin título*, ca. 1940.
Cortesía: Throckmorton Fine Art,
Nueva York

DERECHA 36. *Resbaladilla*, s.f.
Colección: Center for Creative Photography,
Tucson, Arizona

ARRIBA 37. *La espina*,
Zacapoaxtla, Puebla, ca. 1950.
Colección: Center for Creative Photography,
Tucson, Arizona

DERECHA 38. *Peluquería con paisaje*, ca. 1950.
Cortesía: Throckmorton Fine Art, Nueva York

39. *En su propia cárcel (11 a.m.)*, ca. 1950.
Colección: Center for Creative Photography,
Tucson, Arizona

40. *No matarás*, ca. 1950.
Cortesía: Throckmorton Fine Art,
Nueva York

MISCELANEA

41. *La patrona*, años sesenta.
Colección: Center for Creative Photography,
Tucson, Arizona

42. *Dormido (La cruda, El reposo)*,
Veracruz, ca. 1945.
Colección: Center for Creative Photography,
Tucson, Arizona

IZQUIERDA 43. *El duelo*, Estado de México, 1950.
Cortesía: Throckmorton Fine Art,
Nueva York

ARRIBA 44. *El sueño de los pobres 2*, 1949.
Colección: Center for Creative Photography,
Tucson, Arizona

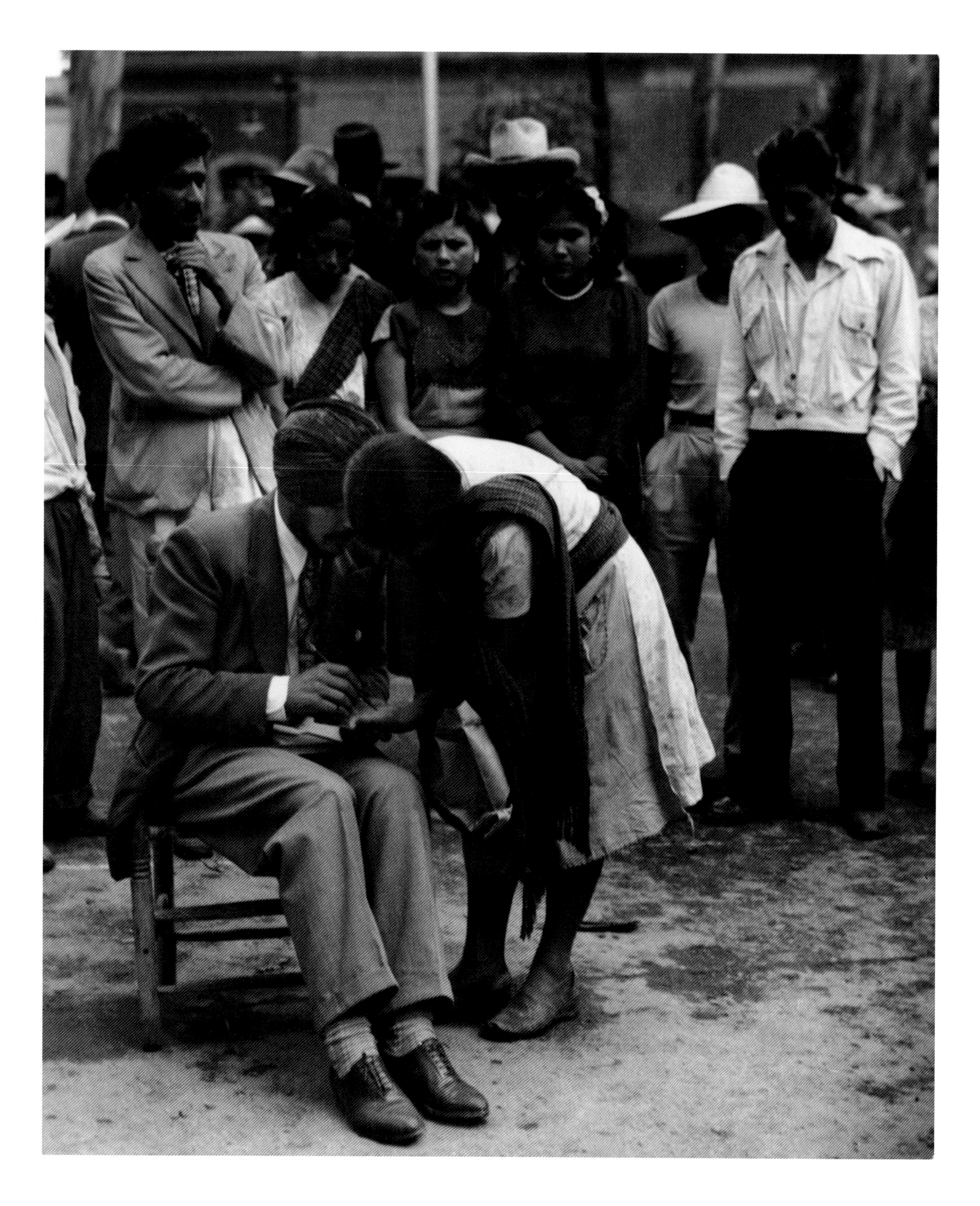

IZQUIERDA 45. *Los psiquiatras populares 1*, ca. 1940.
Colección: Center for Creative Photography,
Tucson, Arizona

ARRIBA 46. *Por culpas ajenas*,
Ciudad de México, principios de los años cuarenta.
Colección: Center for Creative Photography,
Tucson, Arizona

47. *Mi colega*, Oaxaca, ca. 1950.
Colección: Center for Creative Photography, Tucson, Arizona

48. *Ya se va*, ca. 1950.
Colección: Center for Creative Photography,
Tucson, Arizona

IZQUIERDA
49. *Llanto*, ca. 1940.
Cortesía: Throckmorton Fine Art, Nueva York

DERECHA
50. *Indiferencia*, años cuarenta.
Colección: Center for Creative Photography, Tucson, Arizona

IZQUIERDA 51. *La feria*,
Taxco, Guerrero, ca. 1940.
Colección: Center
for Creative Photography,
Tucson, Arizona

DERECHA 52. *El número 17*,
Ciudad de México,
principios de los años cuarenta.
Colección: Center
for Creative Photography,
Tucson, Arizona

17

53. *Vértigo*, ca. 1940.
Cortesía: Throckmorton Fine Art,
Nueva York

ARRIBA
54. *El panteoncito*, Guanajuato, ca. 1945.
Colección: Center for Creative Photography,
Tucson, Arizona

DERECHA
55. *Pespunteando en la brisa*, años treinta.
Colección: Center for Creative Photography,
Tucson, Arizona

IZQUIERDA 56. *Yalalag*, Yalalag, Oaxaca, 1946.
Cortesía: Barry Singer Gallery, Stephen Daiter Gallery
y William Schaeffer

ARRIBA 57. *Desalojados*, ca. 1940.
Colección: Manuel Álvarez Bravo Martínez,
Ciudad de México.
Cortesía: Galería Juan Martín

58. *Entierro en Yalalag*, Yalalag, Oaxaca, 1946.
Colección: Center for Creative Photography,
Tucson, Arizona

ARRIBA 59. *San Isidro Labrador*, Metepec, Estado de México, s.f. Colección: Center for Creative Photography, Tucson, Arizona

DERECHA 60. *El ruego*, Yalalag, Oaxaca, 1946. Colección: Center for Creative Photography, Tucson, Arizona

PÁGINA SIGUIENTE
61. *La manda*, 1946. Colección: Center for Creative Photography, Tucson, Arizona
62. *Sábado de Gloria 2*, 1955. Colección: Manuel Álvarez Bravo Martínez, Ciudad de México. Cortesía: Galería Juan Martín

MAS BARATO

63. *Judas*, Ciudad de México, 1942.
Colección: Center for Creative Photography,
Tucson, Arizona

64. *Cristo en Cuajimalpa*, s.f.
Colección: Center for Creative Photography,
Tucson, Arizona

65. *Sin título (Marcha del orgullo gay)*,
Ciudad de México, 1982.
Colección: Center for Creative Photography,
Tucson, Arizona

66. *Los almiares (Labores)*,
Estado de Michoacán, ca. 1940.
Colección: Center for Creative Photography,
Tucson, Arizona

67. Piedras, nada más,
Cuetzalan, Puebla, ca. 1955.
Colección: Center for Creative Photography,
Tucson, Arizona

68. *Baño*, Palenque, Chiapas, ca. 1950.
Colección: Center for Creative Photography,
Tucson, Arizona

69. *Niño bizantino*, Acapulco, Guerrero, 1950.
Colección: Center for Creative Photography,
Tucson, Arizona

70. *Hojas y frutas*, Acapulco, Guerrero, 1950-51.
Colección: Manuel Álvarez Bravo Martínez, Ciudad de México.
Cortesía: Galería Juan Martín

ARRIBA 71. *Tiburoneros*, Acapulco, Guerrero, 1950.
Colección: Center for Creative Photography,
Tucson, Arizona

DERECHA 72. *Contando estrellas*, Acapulco, Guerrero, 1949.
Colección: Manuel Álvarez Bravo Martínez, Ciudad de México.
Cortesía: Galería Juan Martín

73. *Tríptico de los martirios* 2,
Acapulco, Guerrero, 1950-51.
Colección: Center for Creative Photography,
Tucson, Arizona

ARRIBA *74. Juegos*, Acapulco, Guerrero, ca. 1950.
Colección: Manuel Álvarez Bravo Martínez, Ciudad de México.
Cortesía: Galería Juan Martín

DERECHA *75. Maudelle Bass*, 1947.
Colección: Center for Creative Photography, Tucson, Arizona

ARRIBA *76. Homenaje*
(Homenaje a Salvador Toscano),
Acapulco, Guerrero, 1949.
Cortesía: Throckmorton Fine Art,
Nueva York

PÁGINA SIGUIENTE
77. Mandíbula de caballo (Cráneo colgado),
estado de Hidalgo, ca. 1960.
Colección: Center for Creative Photography,
Tucson, Arizona

78. *Sexo vegetal*, ca. 1948.
Colección: Center for Creative Photography,
Tucson, Arizona

ARRIBA 79. *Paisaje fabricado*,
Teotihuacán, Estado de México, 1951.
Cortesía: Throckmorton Fine Art,
Nueva York

DERECHA 80. *Sin título*
(Arcos de la iglesia de la Virgen Milagrosa, Ciudad de México, por el arquitecto Félix Candela), 1954.
Colección: Center for Creative Photography,
Tucson, Arizona

81. *Telas*, ca. 1950.
Colección: Center for Creative Photography,
Tucson, Arizona

82. *El sueño de los pobres*, 1935.
Fotomontaje, 21.0 x 17.7 cm.
Colección: Center for Creative Photography,
Tucson, Arizona

DERECHA
83. *El sueño del ahogado*, ca. 1945.
Fotomontaje, 26 x 22 cm.
Colección: Jacques y Natasha Gelman
de Arte Moderno y Contemporáneo.
Cortesía: Fundación Vergel
y Costco/Comercial Mexicana, México

PÁGINA SIGUIENTE
84. *Computadora I*, ca. 1954.
Fotomontaje, 32.2 x 22.9 cm.
Colección: Center for Creative Photography,
Tucson, Arizona

85. *Anarquía arquitectónica*
de la Ciudad de México, ca. 1953.
Para un fotomural (destruido),
Palacio de Bellas Artes, Ciudad de México.
Colección: Center for Creative Photography,
Tucson, Arizona

86. *Lya Cardoza (Lya Kostakowsky de Cardoza y Aragón)*, ca. 1950.
Colección: Center for Creative Photography, Tucson, Arizona

ARRIBA 87. *David Alfaro Siqueiros*, ca. 1965. Colección: Center for Creative Photography, Tucson, Arizona

DERECHA 88. *Salvador Novo*, ca. 1945. Colección: Center for Creative Photography, Tucson, Arizona

89. *Carlos Fuentes*,
Ciudad de México, 1962.
Colección: Center for Creative Photography,
Tucson, Arizona

ARRIBA 90. *Jorge Hernández Campos*, ca. 1945.
Colección: Center for Creative Photography,
Tucson, Arizona

DERECHA 91. *María Izquierdo*, 1946.
Colección: Center for Creative Photography,
Tucson, Arizona

ARRIBA 92. *Julio Castellanos*, ca. 1946.
Reproducción digital póstuma a partir
del negativo original.
Colección: Center for Creative Photography,
Tucson, Arizona

DERECHA 93. *El ensueño (Isabel Villaseñor)*,
Tenacatita, Jalisco, 1941.
Colección: Manuel Álvarez Bravo Martínez,
Ciudad de México.
Cortesía: Galería Juan Martín

94. *Henri Cartier-Bresson*, 1963.
Colección: Center for Creative Photography,
Tucson, Arizona

ARRIBA 95. *Autorretrato*, ca. 1950.
Colección: Center for Creative Photography,
Tucson, Arizona

DERECHA 96. *Sin título (Las manos de Lola Álvarez Bravo sosteniendo una pieza de obsidiana)*, años cincuenta.
Colección: Center for Creative Photography,
Tucson, Arizona

ARRIBA
97. Diego Rivera, 1945.
Colección: Center for Creative Photography, Tucson, Arizona

PÁGINA SIGUIENTE
98 y 99. *Frida Kahlo*, ca. 1944.
Colección: Manuel Álvarez Bravo Martínez, Ciudad de México.
Cortesía: Galería Juan Martín

Frida Kahlo, ca. 1944.
Cortesía: Throckmorton Fine Art, Nueva York

100. *Frida Kahlo*, ca. 1944.
Cortesía: Throckmorton Fine Art,
Nueva York

NOTAS

1. Las mujeres mexicanas prestaban a veces ayuda a sus maridos en sus estudios de retrato —de manera notable Natalia Baquedano en el siglo XIX, quien tomó las riendas del negocio de su marido después de la muerte de éste. No hay en México ejemplos anteriores a la italiana Tina Modotti de una mujer dedicada a la fotografía como forma de arte.

2. Tanto el investigador James Oles como Isabel Curley, sobrina de Lola, señalan que documentos descubiertos después de la muerte de Lola Álvarez Bravo contienen una fecha de nacimiento más temprana. Es posible que inventara la fecha posterior para que no se notara que era mayor que su esposo Manuel. Además, en una conferencia en la Americas Society de Nueva York en 1996, Olivier Debroise señaló que en una carta encontrada entre los papeles de Lola después de su muerte se demostraba que su madre no había muerto sino que había abandonado la casa familiar cuando Lola era una niña. La fecha de la carta, 1927, indica que ella mantenía algún contacto con la familia, por lo menos hasta ese momento.

3. "Cuando vivía mi padre teníamos una casota de leyenda, allá por la Cámara de Diputados". Lola Álvarez Bravo, en Cristina Pacheco, "Lola Álvarez Bravo: el tercer ojo", en *La luz de México: entrevistas con pintores y fotógrafos*, 2a. ed., México: Fondo de Cultura Económica, 1995, p. 49. La entrevista se publicó originalmente en la revista *Siempre!*, el 16 de mayo de 1979.

4. Lola Álvarez Bravo, *ibid.*, p. 45.

5. Octavio Paz, "Re/Visions: Mural Painting", en *Essays in Mexican Art*, Nueva York: Harcourt Brace, 1993, p. 114.

6. Sin embargo, sí vieron a Modotti y Weston juntos. De su primer encuentro con Modotti, Manuel Álvarez Bravo contaba que: "un día, un amigo me señaló a dos gentes, Tina y Weston, cada uno cargando una cámara. Fue la primera vez que la vi, cerca de la iglesia de la Santísima. Observaban la iglesia, pero no tomaron una sola fotografía", Véase Mildred Constantine, *Tina Modotti: A Fragile Life*, San Francisco: Chronicle Books, 1993, p. 97. Lola Álvarez Bravo le dijo a quien esto escribe que ella había visto la exposición de Weston en Aztec Land Gallery. Sin embargo, no queda claro si la que visitó fue la exposición de 1923, la de 1924, o ambas.

7. Lola Álvarez Bravo, entrevista con Elizabeth Ferrer, Ciudad de México, 13 de agosto de 1992.

8. *Ibid.*

9. Para más información sobre María Izquierdo, véase *The True Poetry: The Art of María Izquierdo*, Nueva York: Americas Society, 1997, y Luis-Martín Lozano, *María Izquierdo*, México: Editorial Océano, 2002.

10. Durante el proyecto surgió una discusión sobre la propiedad de los negativos. Álvarez Bravo luchó por conservarlos, y finalmente le fueron devueltos. La disputa la llevó a establecer una política firme: ella era dueña de todos los negativos que producía, incluso si había hecho el trabajo por encargo. En 1964 vendió más de 2,500 negativos que consideraba parte del patrimonio nacional —fotografías de murales y otras importantes obras de arte— a la nación mexicana. En 1976 este archivo fue trasladado al Instituto Nacional de Bellas Artes y Literatura.

11. Lola Álvarez Bravo, *Lola Álvarez Bravo: recuento fotográfico*, México: Editorial Penélope, 1982, p. 12.

12. Alfonso Michel, entrevista en el diario *Excelsior* de la Ciudad de México, 18 de noviembre de 1953. Véase Olivier Debroise, "Lola Álvarez Bravo, de las humildes cosas", en *La cultura en México*, suplemento de *Siempre!*, 13 de febrero de 1985.

13. Mariana Yampolsky, entrevista con la autora, Ciudad de México, 9 de agosto de 1992.

14. Santiago Espinosa de los Monteros, "Doña Lola de mis recuerdos", en *¡Viva el Arte!*, núm. 3, primavera de 1988, p. 44.

15. La oficina de gobierno que contrató a Álvarez Bravo era conocida como la Dirección de Educación Extraescolar y Estética. Cambió su nombre a Instituto Nacional de Bellas Artes y Literatura en 1946.

16. Véase James Oles, "La nueva fotografía y Cementos Tolteca: Una alianza utópica", en *Mexicana: fotografía moderna en México, 1923-1940*, Valencia, España: IVAM Institut Valencià d'Art Modern, Generalitat Valenciana, 1998, pp. 139-52.

17. Además de la obra de muchos de los principales pintores y grabadores, la exposición incluía trece fotografías de Lola Álvarez Bravo y un número menor de Manuel Álvarez Bravo, Doris Heydn (con quien Manuel se casaría en 1942), el venezolano Ricardo Razetti y Antonio Reynoso.

18. Lola Álvarez Bravo, en Pacheco, "Lola Álvarez Bravo", p. 61.

19. Lola Álvarez Bravo, *Lola Álvarez Bravo: recuento fotográfico*, p. 149.

20. *Ibid.*, p. 10.

21. Henri Cartier-Bresson, en John Mraz, "Susan Kismaric: Manuel Álvarez Bravo, Nueva York: Thames and Hudson, The Museum of Modern Art, 1997", *Estudios Interdisciplinarios de América Latina y el Caribe 8*, no. 2, 7 de junio, 2005; http://www.tau.ac.il/eial/VIII_2/mraz.htm.

22. Lola Álvarez Bravo, "Primeras imágenes", en *Lola Álvarez Bravo: recuento fotográfico*, p. 61.

23. Lola Álvarez Bravo, en Pacheco, "Lola Álvarez Bravo", p. 54.

24. James Oles a Susan Danley, 4 de noviembre de 1998, carta, Mead Art Museum, Amherst, Massachusetts.

25. Elena Poniatowska, *Todo México*, vol. 2, Ciudad de México: Editorial Diana, 1993, p. 47.

26. *Lola Álvarez Bravo: recuento fotográfico*, pp. 115-16.

27. *Ibid.*, p. 116.

28. Lola Álvarez Bravo, "Momentos de México", en *Cuadernos de Bellas Artes 13*, núm. 1, enero de 1962, pp. 21-32.

29. Carla Stellweg, entrevista con la autora, 24 de septiembre de 2005.

30. Lola Álvarez Bravo, en Salomon Grimberg, *Lola Álvarez Bravo: The Frida Kahlo Photographs*, Dallas: Society of Friends of the Mexican Culture, 1991, p. 9. Además de los retratos, Álvarez Bravo también documentó algunas de las obras de arte de Frida y la Casa Azul, su hogar en Coyoacán.

31. Lola Álvarez Bravo, en Pacheco, "Lola Álvarez Bravo", p. 53.

32. *Ibid.*, p. 60.

33. "Es una de las fotos que yo considero milagrosas para mí." *Lola Álvarez Bravo: recuento fotográfico*, p. 20.

34. Lola Álvarez Bravo, entrevista con Elizabeth Ferrer, Ciudad de México, 13 de agosto de 1992. *Entierro en Yalalag*, se hizo famosa en todo el mundo cuando Edward Steichen la incluyó en la exposición *The Family of Man*, organizada por el Museum of Modern Art de Nueva York. Presentada inicialmente allí, esta muestra fue vista por una infinidad de gente, y viajó durante ocho años por museos de treinta y siete países.

35. Tina Martin comentó su participación en esta cinta en conversación telefónica con Elizabeth Ferrer el 27 de junio y el 12 de agosto de 2005.

36. Álvarez Bravo puso una vez por título *Su purgatorio* a una de las imágenes del *Tríptico*, otra referencia a la dura vida de estas mujeres.

37. Las fotografías de Álvarez Bravo aparecen sin título en *Acapulco en el sueño*. Los títulos aquí señalados son los que ella les puso de manera posterior a sus imágenes.

38. Los judas son grandes figuras de papel maché que se rellenan de fuegos artificiales y se queman en efigie el Sábado de Gloria.

39. *Lola Álvarez Bravo: recuento fotográfico*, pp. 116-117.

40. El Centro Cultural Arte Contemporáneo fue fundado en 1986 por Emilio Azcárraga Milmo, el propietario principal de Televisa, la cadena más importante de la televisión mexicana. Fue uno de los pocos museos privados en México y tuvo un notable éxito tanto en la organización de exposiciones innovadoras como en la creación de una colección. La compañía decidió cerrar el museo poco después de la muerte de Azcárraga en 1997.

41. Malú Block, conversación con la autora, Ciudad de México, 5 de abril de 2005.

42. Lola Álvarez Bravo, en Pacheco, "Lola Álvarez Bravo", p. 61.

LISTA DE OBRA FOTOGRÁFICA

A menos que se indique de otra manera, todas las fotografías son de Lola Álvarez Bravo, copyright © 1995 Center for Creative Photography, The University of Arizona Foundation.

Todas las fotografías son impresiones en plata sobre gelatina a menos que se indique. Las medidas indican alto por ancho. Las fechas de algunas de las fotografías son distintas de las que aparecen en fuentes publicadas con anterioridad debido a nuevas investigaciones.

Contraportada
Mar de ternura,
Estado de Oaxaca, ca. 1950.
Colección: Center
for Creative Photography,
Tucson, Arizona

Portadilla
Saliendo de la ópera, ca. 1950.
Cortesía: Throckmorton Fine Art,
Nueva York

1. *A ver quién me oye (¿Me oirán?)*,
Ciudad de México, 1939.
Colección: Center
for Creative Photography,
Tucson, Arizona

2. *Sin título*, s.f.
Reproducción digital póstuma
a partir del negativo original.
Colección: Center
for Creative Photography,
Tucson, Arizona

3. *Manuel Álvarez Bravo Martínez*, ca. 1935.
Reproducción digital póstuma
a partir del negativo original.
Colección: Center
for Creative Photography,
Tucson, Arizona

4. Manuel Álvarez Bravo (1902-2002),
*Lola Álvarez Bravo, María Izquierdo
e Isabel Álvarez Bravo*, ca. 1930.
Cortesía: Isabel Curley.
Copyright: Herederos
de Manuel Álvarez Bravo

5. *María Izquierdo*, años treinta.
Colección: Manuel Álvarez Bravo Martínez,
Ciudad de México.
Cortesía: Galería Juan Martín

6. *Manuel Álvarez Bravo*,
Tehuantepec, ca. 1934.
Cortesía: Throckmorton Fine Art,
Nueva York

7. Portada de *El maestro rural*,
junio de 1938.
Cortesía: University of California,
Southern Regional Library Facility,
Preservation Imaging Department

8. De *El maestro rural*, marzo de 1936.
Cortesía: University of California,
Southern Regional Library Facility,
Preservation Imaging Department

9. *Sillería coro con escenas de San Agustín
y del* Génesis, 1936.
De Rafael García Granados,
*Sillería del coro de la antigua iglesia
de San Agustín* (México: Universidad
Nacional Autónoma de México, Instituto
de Investigaciones Estéticas, 1941).
Reproducción digital póstuma
a partir del negativo original.
Colección: Center
for Creative Photography,
Tucson, Arizona

10. *Sillería del coro*, (detalle de la escena
de la Revelación), 1936.
De Rafael García Granados,
Sillería del coro de la antigua
iglesia de San Agustín.
(México: Universidad Nacional
Autónoma de México, Instituto de
Investigaciones Estéticas, 1941).
Reproducción digital póstuma
a partir del negativo original.
Colección: Center
for Creative Photography,
Tucson, Arizona

11. *Cemento-forma*, ca. 1931.
Fotograbado de *Tolteca*, no. 22, marzo de 1932.
Cortesía: University of California, Southern Regional Library Facility, Preservation Imaging Department

12. *La visitación*, Tehuantepec, Oaxaca, ca. 1934.
Colección: Manuel Álvarez Bravo Martínez, Ciudad de México.
Cortesía: Galería Juan Martín

13. *Leyendo* "El Informe", Ciudad de México, ca. 1938.
Colección: Center for Creative Photography, Tucson, Arizona

14. *Hiedra (Ruina)*, ca. 1930.
Colección: Center for Creative Photography, Tucson, Arizona

15. *Suma, resta y multiplica*, ca. 1938.
Cortesía: Throckmorton Fine Art, Nueva York

16. *Sin título (Trapecistas)*, ca. 1938-40.
Colección: Center for Creative Photography, Tucson, Arizona

17. *La última cena (Pocos los escogidos)*, Erongarícuaro, Michoacán, ca. 1935.
Colección: Center for Creative Photography, Tucson, Arizona

18. *La madre Matiana*, ca. 1935.
Colección: Center for Creative Photography, Tucson, Arizona

19. *Sin título (Juan Soriano recostado)*, 1937.
Cortesía: Throckmorton Fine Art, Nueva York

20. *Juan Soriano*, años treinta.
Cortesía: Juan Soriano

21. *Marion Greenwood*, ca. 1935.
Colección: Center for Creative Photography, Tucson, Arizona

22. *Rufino Tamayo*, ca. 1935.
Colección: Center for Creative Photography, Tucson, Arizona

23. *Manuel Álvarez Bravo*, ca. 1938.
Colección: Center for Creative Photography, Tucson, Arizona

24. *Judith Martínez Ortega*, ca. 1940.
Colección: Center for Creative Photography, Tucson, Arizona

25. *Unos suben y otros bajan*, Ciudad de México, ca. 1940.
Colección: Center for Creative Photography, Tucson, Arizona

26. Manuel Álvarez Bravo, *Gorrión, claro*, 1939.
De la carpeta *Fotografías de Manuel Álvarez Bravo*, 1977.
Colección: Center for Creative Photography, Tucson, Arizona (donación de Louis H. Stumberg).
Copyright: Herederos de Manuel Álvarez Bravo

27. Manuel Álvarez Bravo, *Los agachados*, 1934.
De la carpeta *Quince fotografías de Manuel Álvarez Bravo*, 1974.
Colección: Center for Creative Photography, Tucson, Arizona (compra).
Copyright: Herederos de Manuel Álvarez Bravo

28. *Francisco Toledo*, Cuernavaca, Morelos, 1981.
Cortesía: Throckmorton Fine Art, Nueva York

29. *Francisco Toledo*, Cuernavaca, Morelos, 1981. Reproducción digital póstuma a partir del negativo original. Colección: Center for Creative Photography, Tucson, Arizona

30. *Sin título (Dos perros escuincles fuera de la habitación de Frida Kahlo después de su muerte)*, 1954. Colección privada

31. *Fotos fijas de Frida Kahlo y Tina Misrachi del proyecto de film sin título de Lola Álvarez Bravo*, 1951. Colección: Center for Creative Photography, Tucson, Arizona

32. *Vista de la Galería de Arte Contemporáneo*, Ciudad de México, 1950. Reproducción digital póstuma a partir del negativo original. Colección: Center for Creative Photography, Tucson, Arizona

33. Lourdes Almeida (n.1952), *Lola Álvarez Bravo*, 1984 Cortesía: Lourdes Almeida

34. *Espión*, ca. 1948. Colección: Center for Creative Photography, Tucson, Arizona

35. *Sin título*, ca.1940. Cortesía: Throckmorton Fine Art, Nueva York

36. *Resbaladilla*, s.f. Colección: Center for Creative Photography, Tucson, Arizona

37. *La espina*, Zacapoaxtla, Puebla, ca. 1950. Colección: Center for Creative Photography, Tucson, Arizona

38. *Peluquería con paisaje*, ca. 1950. Cortesía: Throckmorton Fine Art, Nueva York

39. *En su propia cárcel (11 a.m.)*, ca. 1950. Colección: Center for Creative Photography, Tucson, Arizona

40. *No matarás*, ca. 1950. Cortesía: Throckmorton Fine Art, Nueva York

41. *La patrona*, años sesenta. Colección: Center for Creative Photography, Tucson, Arizona

42. *Dormido (La cruda, El reposo)*, Veracruz, ca. 1945. Colección: Center for Creative Photography, Tucson, Arizona

43. *El duelo*, Estado de México, 1950. Cortesía: Throckmorton Fine Art, Nueva York

44. *El sueño de los pobres 2*, 1949. Colección: Center for Creative Photography, Tucson, Arizona

45. *Los psiquiatras populares 1*, ca. 1940. Colección: Center for Creative Photography, Tucson, Arizona

46. *Por culpas ajenas*, Ciudad de México, principios de los años cuarenta. Colección: Center for Creative Photography, Tucson, Arizona

47. *Mi colega*, Oaxaca, ca. 1950. Colección: Center for Creative Photography, Tucson, Arizona

48. *Ya se va*, ca. 1950. Colección: Center

for Creative Photography, Tucson, Arizona

49. *Llanto*, ca. 1940. Cortesía: Throckmorton Fine Art, Nueva York

50. *Indiferencia*, años cuarenta. Colección: Center for Creative Photography, Tucson, Arizona

51. *La feria*, Taxco, Guerrero, ca. 1940. Colección: Center for Creative Photography, Tucson, Arizona

52. *El número 17*, Ciudad de México, principios de los años cuarenta. Colección: Center for Creative Photography, Tucson, Arizona

53. *Vértigo*, ca. 1940. Cortesía: Throckmorton Fine Art, Nueva York

54. *El panteoncito*, Guanajuato, ca. 1945. Colección: Center for Creative Photography, Tucson, Arizona

55. *Pespunteando en la brisa*, años treinta. Colección: Center for Creative Photography, Tucson, Arizona

56. *Yalalag*, Yalalag, Oaxaca, 1946. Cortesía: Barry Singer Gallery, Stephen Daiter Gallery y William Schaeffer

57. *Desalojados*, ca. 1940. Colección: Manuel Álvarez Bravo Martínez, Ciudad de México, Cortesía: Galería Juan Martín

58. *Entierro en Yalalag*, Yalalag, Oaxaca, 1946. Colección: Center for Creative Photography, Tucson, Arizona

59. *San Isidro Labrador*, Metepec, Estado de México, s.f. Colección: Center for Creative Photography, Tucson, Arizona

60. *El ruego*, Yalalag, Oaxaca, 1946. Colección: Center for Creative Photography, Tucson, Arizona

61. *La manda*, 1946. Colección: Center for Creative Photography, Tucson, Arizona

62. *Sábado de Gloria 2*, 1955. Colección: Manuel Álvarez Bravo Martínez, Ciudad de México. Cortesía: Galería Juan Martín

63. *Judas*, Ciudad de México, 1942. Colección: Center for Creative Photography, Tucson, Arizona

64. *Cristo en Cuajimalpa*, s.f. Colección: Center for Creative Photography,Tucson, Arizona

65. *Sin título* (*Marcha del orgullo gay*), 1982. Colección: Center for Creative Photography, Tucson, Arizona

66. *Los almiares* (*Labores*), estado de Michoacán, ca. 1940. Colección: Center for Creative Photography, Tucson, Arizona

67. *Piedras, nada más*, Cuetzalan, Puebla, ca. 1955. Colección: Center for Creative Photography, Tucson, Arizona

68. *Baño*, Palenque, Chiapas, ca. 1950. Colección: Center for Creative Photography, Tucson, Arizona

69. *Niño bizantino*, Acapulco, Guerrero, 1950. Colección: Center for Creative Photography, Tucson, Arizona

70. *Hojas y frutas*, Acapulco, Guerrero, 1950-51. Colección: Manuel Álvarez Bravo Martínez, Ciudad de México. Cortesía: Galería Juan Martín

71. *Tiburoneros*, Acapulco, Guerrero, 1950. Colección: Center for Creative Photography, Tucson, Arizona

72. *Contando estrellas*, Acapulco, Guerrero, 1949. Colección: Manuel Álvarez Bravo Martínez, Ciudad de México, Cortesía: Galería Juan Martín

73. *Tríptico de los martirios 2*, Acapulco, Guerrero, 1950-51. Colección: Center for Creative Photography, Tucson, Arizona

74. *Juegos*, Acapulco, Guerrero, ca. 1950. Colección: Manuel Álvarez Bravo Martínez, Ciudad de México. Cortesía: Galería Juan Martín

75. *Maudelle Bass*, 1947. Colección: Center for Creative Photography, Tucson, Arizona

76. *Homenaje (Homenaje a Salvador Toscano)*, Acapulco, Guerrero, 1949. Cortesía: Throckmorton Fine Art, Nueva York

77. *Mandíbula de caballo (Cráneo colgado)*, estado de Hidalgo, ca. 1960. Colección: Center for Creative Photography, Tucson, Arizona

78. *Sexo vegetal*, ca. 1948. Colección: Center for Creative Photography, Tucson, Arizona

79. *Paisaje fabricado*, Teotihuacán, Estado de México, 1951. Cortesía: Throckmorton Fine Art, Nueva York

80. *Sin título (Arcos de la iglesia de la Virgen Milagrosa,* Ciudad de México, por el arquitecto Félix Candela), 1954. Colección: Center for Creative Photography, Tucson, Arizona

81. *Telas*, ca. 1950. Colección: Center for Creative Photography, Tucson, Arizona

82. *El sueño de los pobres*, 1935. Fotomontaje, 21.0 x 17.7 cm. Colección: Center for Creative Photography, Tucson, Arizona

83. *El sueño del ahogado*, ca. 1945. Fotomontaje, 26 x 22 cm. Colección: Jacques y Natasha Gelman de Arte Moderno y Contemporáneo. Cortesía: Fundación Vergel y Costco/Comercial Mexicana, México

84. *Computadora 1*, ca. 1954. Fotomontaje, 32.2 x 22.9 cm. Colección: Center for Creative Photography, Tucson, Arizona

85. *Anarquía arquitectónica de la Ciudad de México*, ca. 1953. Para un fotomural (destruido), Palacio de Bellas Artes, Ciudad de México. Colección: Center for Creative Photography, Tucson, Arizona

86. *Lya Cardoza (Lya Kostakowsky de Cardoza y Aragón)*, ca. 1950.

Colección: Center
for Creative Photography,
Tucson, Arizona

87. *David Alfaro Siqueiros*, ca. 1965.
Colección: Center
for Creative Photography,
Tucson, Arizona

88. *Salvador Novo*, ca. 1945.
Colección: Center
for Creative Photography,
Tucson, Arizona

89. *Carlos Fuentes*, Ciudad de México, 1962.
Colección: Center
for Creative Photography,
Tucson, Arizona

90. *Jorge Hernández Campos*, ca. 1945.
Colección: Center
for Creative Photography,
Tucson, Arizona

91. *María Izquierdo*, 1946.
Colección: Center
for Creative Photography,
Tucson, Arizona

92. *Julio Castellanos*, ca. 1946.
Reproducción digital póstuma
a partir del negativo original.
Colección: Center
for Creative Photography,
Tucson, Arizona

93. *El ensueño (Isabel Villaseñor)*,
Tenacatita, Jalisco, 1941.
Colección: Manuel Álvarez Bravo
Martínez, Ciudad de México.
Cortesía: Galería Juan Martín

94. *Henri Cartier-Bresson*, 1963.
Colección: Center
for Creative Photography,
Tucson, Arizona

95. *Autorretrato*, ca. 1950.
Colección: Center
for Creative Photography,
Tucson, Arizona

96. *Sin título (Las manos de Lola Álvarez Bravo
sosteniendo una pieza
de obsidiana)*, años cincuenta.
Colección: Center
for Creative Photography,
Tucson, Arizona

97. *Diego Rivera*, 1945.
Colección: Center
for Creative Photography,
Tucson, Arizona

98. *Frida Kahlo*, ca. 1944.
Colección: Manuel Álvarez Bravo
Martínez, Ciudad de México,
Cortesía: Galería Juan Martín

99. *Frida Kahlo*, ca. 1944.
Cortesía: Throckmorton Fine Art,
Nueva York

100. *Frida Kahlo*, ca. 1944.
Cortesía: Throckmorton Fine Art,
Nueva York

101. *Sin título*, s.f.
Reproducción digital póstuma
a partir del negativo original.
Colección: Center
for Creative Photography,
Tucson, Arizona

CRONOLOGÍA

1903-15	El 3 de abril de 1903, en Lagos de Moreno, Jalisco, nace Dolores Martínez de Anda, hija de Gonzalo Martínez, importador de muebles y objetos de arte, y de Sara de Anda. La mayoría de las publicaciones señalan el año de 1907 como fecha de su nacimiento; inconsistencias con respecto a la fecha de nacimiento de Álvarez Bravo ponen en duda algunos detalles de su historia temprana.
	Durante su temprana infancia sus padres se separan. Publicaciones anteriores señalan que su madre murió cuando ella tenía tres años. Poco tiempo después, Lola, su hermano Miguel y su padre se mudan a la Ciudad de México; residen en una mansión en la Calle del Factor (ahora calle de Allende) en el Centro Histórico.
1916	El padre de Lola muere de un ataque al corazón. Ella se va a vivir con su medio hermano Miguel Martínez y su familia, a un departamento en la calle de Santa Teresa (ahora calle de Guatemala), a unas cuantas manzanas de su antigua casa. Manuel Álvarez Bravo y su familia viven en el mismo edificio.
1916-22	Es educada en colegios de monjas de la Ciudad de México.
1925	Se casa con Manuel Álvarez Bravo; se mudan a Oaxaca, donde él trabaja como contador en la Secretaría de Hacienda y Crédito Público.
1927	Regresa a la Ciudad de México con Manuel; da a luz a su único hijo, Manuel Álvarez Bravo Martínez.
	Abre con Manuel una galería informal en su casa de Tacubaya. Asiste a Manuel en el cuarto oscuro durante sus primeros años como fotógrafo profesional.
	Durante este periodo muere Miguel, el hermano de Lola, luego de mudarse a Chicago.
1929-30	Conoce a Tina Modotti en 1929. Cuando Modotti es deportada de México en 1930, los Álvarez Bravo adquieren dos de sus cámaras.
1931	Recibe una mención honorífica por una fotografía que sometió a un concurso patrocinado por la compañía Cementos Tolteca (lámina 18). Presenta por primera vez su obra al público en una exposición de las obras ganadoras en la Galería de Arte del Museo Cívico, en la Ciudad de México.
	Organiza la primera sociedad fílmica de México con Manuel Álvarez Bravo, Emilio Amero y Julio Castellanos.
1933	Conoce a Paul Strand y ve una exposición de sus impresiones en platino, principalmente escenas de Nuevo México. Strand había sido contratado por la Secretaría de Educación Pública (SEP) para producir una serie de filmes sobre temas mexicanos; realizó solamente uno, *Redes*, sobre los esfuerzos de un grupo de pescadores en Veracruz. Lola y Manuel viajaron brevemente con Strand mientras este estuvo en México.

1934	Conoce a Henri Cartier-Bresson.
	Viaja con Manuel Álvarez Bravo al Istmo de Tehuantepec, donde éste hace la película *Tehuantepec*.
	Se separa de Manuel; alquila un cuarto a la artista María Izquierdo en su departamento de la calle República de Venezuela, cerca de la Plaza de Santa Domingo.
1934-35	Enseña arte en escuelas primarias bajo los auspicios de la SEP —su primer trabajo formal.
	En 1935 expone dos fotomontajes en la exposición *Carteles revolucionarios de las pintoras del sector femenino de la Sección de Artes Plásticas*, Departamento de Bellas Artes, en Guadalajara.
	Durante este periodo, produce fotografías para la revista *Mexican Folkways*.
1935-38	Obtiene un nuevo puesto en la SEP, organizando los archivos fotográficos del Departamento de Prensa y Publicaciones.
	Trabaja como fotógrafa para la revista de la SEP, *El maestro rural*.
	En 1936 recibe una comisión de la Universidad Nacional Autónoma de México para fotografiar la sillería del coro colonial de la antigua iglesia de San Agustín, instalados ahora en la Escuela Nacional Preparatoria.
1937-39	Trabaja en el Laboratorio de Arte del Instituto de Investigaciones Estéticas de la Universidad Nacional (IIE).
	En 1939 se muda a un departamento en Avenida Juárez, cerca del Centro Histórico de la Ciudad de México.
	También en 1939, bajo la dirección de una agencia de asistencia social conocida por el acrónimo COVE (más adelante CONASUPO, Compañía Nacional de Subsistencias Populares), pasa tres meses en La Laguna, una región del norte de México, documentando una severa sequía.
1941-71	Obtiene el puesto de Jefa del Departamento de Fotografía en la Dirección de Educación Extraescolar y Estética (nombrado Instituto Nacional de Bellas Artes y Literatura, [INBA] a partir 1946).
1943	Se muestra por primera vez su obra fuera de México, en *Mexican Art Today*, en el Philadelphia Museum of Art.
1944	Primera exposición individual, *Exposición de fotografías de Lola Álvarez Bravo* en el Palacio de Bellas Artes de la Ciudad de México. Acompaña a una exposición curada por Manuel Álvarez Bravo, *Pintores jaliscienses*, en el mismo sitio.

1945	Comienza el Taller Libre de Fotografía, un curso nocturno de fotografía que imparte en la Escuela Nacional de Artes Plásticas (ENAP). Da clases hasta 1960 y continúa dando otras clases y talleres en diversos periodos más adelante en su carrera.
1946	Viaja a Yalalag, Oaxaca, para recolectar información sobre las tradiciones dancísticas indígenas para el Ballet Nacional.
	Pasa varios meses haciendo fotografías para la memoria de Manuel Ávila Camacho, presidente de México de 1940 a 1946.
1949	Se divorcia de Manuel Álvarez Bravo (algunas fuentes dan la fecha de 1948).
1949-50	Toma fotografías para el libro *Acapulco en el sueño* (1951), con texto de Francisco Tario.
1951	Comienza a trabajar en una película con Frida Kahlo, con apoyo de Diego Rivera; debido a la deteriorada salud de Kahlo, la cinta nunca llega a terminarse.
	En octubre inaugura la Galería de Arte Contemporáneo en la calle de Amberes, Colonia Juárez, Ciudad de México. Dirige la galería hasta fines de 1958.
1952	En marzo monta una novedosa exposición en su galería, *De carnavales a Judas en la plástica de México*. La exposición concluye el Sábado de Gloria con la quema de los judas en el Paseo de la Reforma, cerca de la galería.
1953	En la Galería de Arte Contemporáneo, monta la primera exposición individual de Frida Kahlo en México.
1955	La fotografía *Entierro en Yalalag* (lámina 41) es incluida en *The Family of Man*, la memorable exposición de más de quinientas imágenes de fotógrafos de todo el mundo organizada por Edward Steichen para el Museum of Modern Art en Nueva York. La exposición viaja a treinta y siete países y es vista por aproximadamente nueve millones de personas.
1958	Cierra la Galería de Arte Contemporáneo.
1959	Viaja a Europa con algunos amigos —su único viaje al exterior.
1961	Sufre un ataque al corazón.
1963	Construye un edificio de departamentos en la Colonia Roma como inversión. El arquitecto Luis Barragán la ayuda con el diseño del edificio.
1964	El gobierno mexicano compra 2 544 de los negativos de Álvarez Bravo que reproducen obras de arte importantes. Esos negativos son más tarde trasladados al Departamento de Artes Plásticas del INBA.
1965	Exposición individual de sus retratos, *Galería de mexicanos: 100 fotos de Lola Álvarez Bravo*, en el Palacio de Bellas Artes de la Ciudad de México.

1965-70	Coedita la sección de modas de *Novedades*, uno de los principales diarios de la Ciudad de México.
1968	Dirige un documental de diecisiete minutos, producido por Fernando Canales, *Diego Rivera en la Capilla de Chapingo*.
1979	Exposición individual, *Fotografías de Lola Álvarez Bravo: exposición retrospectiva, 1938-1979*, Alianza Francesa de Polanco, Ciudad de México.
1982	Primera exposición individual fuera de México, en la Osuna Gallery, Washington, D.C.
1984	Cincuenta artistas mexicanos e internacionales participan en un homenaje a la fotógrafa, *Exposición/Homenaje a Lola Álvarez Bravo*, en San Miguel de Allende, Guanajuato.
	Exposición individual, *De las humildes cosas*, Museo de la Alhóndiga de Granaditas, Guanajuato, Guanajuato.
1985	Exposición retrospectiva itinerante, *Elogio de la fotografía: Lola Álvarez Bravo*, que incluye 200 fotografías, organizada por el INBA.
1986	Con la salud ya deteriorada, toma sus últimas fotografías.
1991	Se muda del departamento en la Avenida Juárez, donde había vivido desde 1939; se instala en un departamento del edificio de la Colonia Roma que había construido en los años sesenta.
	Gracias a las exposiciones de sus retratos de Frida Kahlo organizados por la Carla Stellweg Gallery en Nueva York, la Galería Juan Martín en la Ciudad de México, y el Consulado General de México en Dallas y la Sociedad de Amigos de la Cultura Mexicana en Dallas, se empieza a dar un renovado interés por la obra de Lola Álvarez Bravo.
1992	Una gran retrospectiva, *Lola Álvarez Bravo: fotografías selectas, 1934-1985*, se presenta en el Centro Cultural Arte Contemporáneo, Ciudad de México.
1993	Muere el 31 de julio.
1994	Con base en acuerdos hechos con Álvarez Bravo en 1992, el Center for Creative Photography de la University of Arizona, Tucson, adquiere una importante colección de impresiones, negativos y otros materiales que ahora constituyen la Colección Lola Álvarez Bravo. Los derechos pertenecen a la University of Arizona Foundation, Center for Creative Photography. El centro organiza una exposición basada en sus acervos, *Lola Álvarez Bravo: In Her Own Light*, que viaja a cinco ciudades de los Estados Unidos de 1994 a 1997. Una publicación de 88 páginas, con el mismo título, acompaña a la exposición.

AGRADECIMIENTOS

A principios de los años noventa, la fotógrafa Mariana Yampolsky me animó a explorar la obra de Lola Álvarez Bravo y a escribir sobre ella. Yo ya estaba familiarizada con Álvarez Bravo, pero gracias a Yampolsky pude apreciar de manera global su papel precursor en la fotografía moderna mexicana y el notable aliento de sus logros. Gracias a Mariana conocí a Lola, a quien entrevisté en 1992, menos de un año antes de su muerte. Aprecié de manera directa las cualidades de las que sus muchos amigos y colegas hablaban cuando recordaban a Lola —la generosidad de su espíritu, la pasión con que se dedicó a su obra y su perseverancia. Mis agradecimientos van, de manera retrospectiva, a Mariana por alentar mi interés inicial por Lola Álvarez Bravo, y a Lola por su inmensa amabilidad y sus meditadas reflexiones sobre su vida y obra.

Este proyecto no hubiera sido posible sin la entusiasta cooperación y dedicada ayuda del personal del Center for Creative Photography de la University of Arizona, en Tucson. Mi agradecido reconocimiento a Douglas R. Nickel, su director; a Kari Dahlgren, jefa de publicaciones; a Denise Gosé, fotógrafa, responsable de derechos y reproducciones; a Dianne Nilsen, coordinadora de derechos y reproducciones; a Amy Rule, archivista; y a Marcia Tiede, asistente curatorial y catalogadora.

Hago especial mención de agradecimiento a todos aquellos que conocieron a Lola Álvarez Bravo y compartieron conmigo detalles de su vida y obra. Estoy especialmente agradecida con el hijo de los Álvarez Bravo, Manuel Álvarez Bravo Martínez en la Ciudad de México; con Isabel Curley en Evanston, Illinois; con Tina Martin en Salt Lake City, Utah; y con el difunto Juan Soriano en la Ciudad de México. Malú Block, directora de la Galería Juan Martín en la Ciudad de México, fue de mucha ayuda al proveernos tanto de reminiscencias como de fotografías y de apoyo práctico para esta publicación.

También quisiera extender mi aprecio a muchas otras personas que me apoyaron de diversas maneras: a Lourdes Almeida, Yolanda Andrade, Magda Carranza (de la colección Jacques y Natasha Gelman), Santiago Espinosa de los Monteros, Marek Keller, Perla Krauze, José Antonio Rodríguez, Jesús Sánchez Uribe y Gerardo Suter en la Ciudad de México; Sandra Berler de la Sandra Berler Gallery of Photography en Chevy Chase, Maryland, Trinkett Clark, curador de arte americano del Mead Art Museum del Amherst College en Amherst, Massachusetts; Carmen Estela Cohen en Manhasset, Nueva York, Mildred Constantine en Nyack, Nueva York; Burt y Missy Finger, PDNB Gallery en Dallas, Salomon Grimberg en Dallas; Susan Kismaric, curadora del Departamento de Fotografía del Museum of Modern Art en Nueva York; Sarah Lowe en Nueva York; James Oles, Assistant Professor del Wellesley College en Wellesley, Massachusetts; Rose Shoshana y Hannah Sloan, Rose Gallery en Santa Mónica, Chloe Sayer en Londres; Carla Stellweg en Nueva York. Le debo un agradecimiento extra a Edward Sullivan, Dean for the Humanities y Professor of Fine Arts en la New York University.

Spencer Throckmorton de la Throckmorton Fine Art, en Nueva York, ha reunido una gran colección de fotografías de Lola Álvarez Bravo desde hace muchos años. Tengo una deuda muy grande con

Spencer y con Kraige Block, director de Throckmorton Fine Art, por su enorme cooperación y cordial entrega a esta publicación.

Fue un verdadero placer trabajar con Nancy Grubb, Executive Managing Editor en Aperture. Le agradezco a Nancy su enorme entusiasmo, profesionalismo y dedicación en todos los aspectos de este proyecto. En Aperture, agradezco también el talento y esforzado trabajo de Susan Ciccotti, asistente de edición, Matthew Pimm, director de producción, Francesca Richer, directora de diseño, Megumi Nagasue y Robert Stephenson, becarios, y Bryonie Wise, gerente de producción. Su directora, Ellen S. Harris, quien concibió originalmente la idea de publicar un libro sobre Lola Álvarez Bravo y ha proporcionado su aliento durante todo el camino.

Finalmente, dedico mi ensayo a Gilbert y Allegra Ferrer como muestra de agradecimiento por su profundo apoyo, entusiasmo y paciencia.

101. *Sin título*, s.f.
Reproducción digital póstuma
a partir del negativo original.
Colección: Center for Creative
Photography,
Tucson, Arizona

SELECCIÓN BIBLIOGRÁFICA

MONOGRAFÍAS

Álvarez Bravo, Lola, *Galería de mexicanos: 100 Fotos de Lola Álvarez Bravo*, México: Instituto Nacional de Bellas Artes, 1965.

——. *Escritores y artistas de México: fotografías de Lola Álvarez Bravo*, México: Fondo de Cultura Económica, 1982.

——, *Elogio de fotografía: Lola Álvarez Bravo*, México: Programa Cultural de las Fronteras/SEP Cultura; Tijuana: Centro Cultural Tijuana, 1985.

——, *Lola Álvarez Bravo: reencuentros*. México: Museo Estudio Diego Rivera, INBA, 1989.

——, *Frida y su mundo: fotografías de Lola Álvarez Bravo*, México: Galería Juan Martín, 1991.

Blanco, José Joaquín, *et al*. *Lola Álvarez Bravo: recuento fotográfico*, México: Editorial Penélope, 1982.

Debroise, Olivier, *Lola Álvarez Bravo: In Her Own Light*, Tucson: Center for Creative Photography, University of Arizona, 1994.

García-Noriega y Nieto, Lucía, ed, *Lola Álvarez Bravo: fotografías selectas 1934-1985*, México: Centro Cultural Arte Contemporáneo, 1992.

Grimberg, Salomon, *Lola Álvarez Bravo: The Frida Kahlo Photographs*, Dallas: Society of Friends of the Mexican Culture, 1991.

OTRAS OBRAS CITADAS Y CONSULTADAS

Conger, Amy y Elena Poniatowska, *Compañeras de México: Women Photograph Women*, Riverside: University Art Gallery, University of California, 1990.

Constantine, Mildred, *Tina Modotti: A Fragile Life*, San Francisco: Chronicle Books, 1993.

Debroise, Olivier, "Lola Álvarez Bravo, de las humildes cosas", en *La cultura en México*, suplemento de *Siempre!*, México, 13 de febrero, 1985, pp. 35-37.

——, *Mexican Suite: A History of Photography in Mexico*, Austin: University of Texas Press, 2001.

El maestro rural, Secretaría de Educación Pública, 7, 1935, 8 (1936).

Espinosa de los Monteros, Santiago, "Doña Lola de mis recuerdos", en *¡Viva el arte!*, Guadalajara, no. 3, primavera de 1988, pp. 42-47.

Ferrer, Elizabeth, "Lola Álvarez Bravo: A Modernist in Mexican Photography", en *History of Photography*, Londres, 18, no. 3, otoño de 1994, pp. 211-218.

——, *The True Poetry: The Art of María Izquierdo*, Nueva York: Americas Society, 1997.

Fuentes, Carlos, *Henri Cartier-Bresson: Mexican Notebooks*, Nueva York: Thames and Hudson, 1995.

García Granados, Rafael, *Sillería del coro de la antigua iglesia de San Agustín*, México: Instituto de Investigaciones Estéticas, Universidad Nacional Autónoma de México, 1941.

García-Noriega y Nieto, Lucía, ed., *La mujer en México/Women in Mexico*, México: Centro Cultural Arte Contemporáneo, 1990.

Hernández Campos, Jorge, "Remembrances of Mexico's 'Belle Epoque': Lola Álvarez Bravo Makes a Movie about Frida", en Billeter, Erika, ed., *The Blue House: The World of Frida Kahlo*, pp. 238-242, Seattle: University of Washington Press; Houston: Museum of Fine Arts, 1993.

Herrera, Hayden, *Frida: A Biography of Frida Kahlo*, Nueva York: Harper & Row, 1983.

Hooks, Margaret, *Frida Kahlo: Portraits of an Icon*, Madrid: Turner Ediciones; Nueva York: Throckmorton Fine Art, 2002.

Iturbe, Mercedes y Roberto Tejada, *Mexico-New York: Álvarez Bravo, Cartier-Bresson, Walker Evans*, México: Editorial RM, 2003.

Kaufman, Frederick, "Manuel Álvarez Bravo: Photographs and Memories", en *Aperture* 147, primavera de 1997, pp. 4-18.

Kismaric, Susan, *Manuel Álvarez Bravo*, Nueva York: Museum of Modern Art, 1997.

Lowe, Sarah, *Tina Modotti: Photographs*, Filadelfia: Philadelphia Museum of Art, 1995.

Lozano, Luis Martín, *María Izquierdo*, México: Editorial Océano, 2002.

Mexican Art Today, Filadelfia: Philadelphia Museum of Art, 1943.

Mraz, John, "Susan Kismaric: Manuel Álvarez Bravo, Nueva York, Thames and Hudson, the Museum of Modern Art, 1997" (reseña de catálogo de exposición), en *Estudios Interdisciplinarios de América Latina y el Caribe*, Tel Aviv University, 8, núm. 2, jul-dic. 1997, http://www.tau.ac.il/eial/VIII_2/mraz.htm.

Museo Nacional de Arte, *Modernidad y modernización en el arte mexicano, 1920-1960*, México: Instituto Nacional de Bellas Artes, 1991.

Oles, James, *South of the Border: Mexico in the American Imagination, 1914-1947*, Washington, D.C.: Smithsonian Institution Press, 1993.

——, "La nueva fotografía y Cementos Tolteca: una alianza utópica", en *Mexicana: Fotografía Moderna en México, 1923-1940*, pp. 139-152, Valencia, España: IVAM Institut Valencià d'Art Modern, Generalitat Valenciana, 1998.

——, "Algunos notas sobre la vida y obra de Lola Álvarez Bravo", en *Huesca imagen: México (1920-1960)*, pp. 103-119. Huesca, España: Diputación de Huesca, 2004.

Pacheco, Cristina, "Lola Álvarez Bravo: El tercer ojo", en *La luz de México: Entrevistas con pintores y fotógrafos*, pp. 44-61, 2a. ed., México: Fondo de Cultura Económica, 1995.

Paz, Octavio, *Essays on Mexican Art*, Nueva York: Harcourt Brace & Company, 1993.

Poniatowska, Elena y Carla Stellweg, *Frida Kahlo: The Camera Seduced*, San Francisco: Chronicle Books, 1992.

Poniatowska, Elena, *Todo México*, vol. 2., México: Editorial Diana, 1993.

Steichen, Edward, *The Family of Man*, Nueva York: Museum of Modern Art, 1955.

Tario, Francisco, *Acapulco en el sueño*, Edición facsimilar, México: Centro Cultural Arte Contemporáneo, 1993.

Tibol, Raquel, *Episodos fotográficos*, México: Libros de Proceso, 1989.

——, "Lola Álvarez Bravo, 1907-1993", en *Ser y ver: Mujeres en las artes visuales*, pp. 71-86, México: Plaza y Janés, 2002.

Toor, Frances, *Mexican Popular Arts*, México: Frances Toor Studios, 1939.

——, *A Treasury of Mexican Folkways*, Nueva York: Crown, 1947.

Villaurrutia, Xavier, *Nostalgia de la muerte/ Nostalgia for death: Poetry by Xavier Villaurrutia*, traducido por Eliot Weinberger. Con Octavio Paz, "Villaurrutia: hieroglyphs of desire: an essay on the poetry", traducido por Ester Allen, Port Townsend, Wash.: Copper Canyon Press, ca. 1992.

ÍNDICE ONOMÁSTICO

Los números de página en cursivas refieren a las ilustraciones.

N

O

P

Q

R

S

CRÉDITOS FOTOGRÁFICOS

Para información sobre las colecciones y los derechos, véase la lista de obra fotográfica.

Cynthia Bower, Denise Gosé, Peter Hughes, Dianne Nilsen y Kathryn Schuessler proporcionaron los registros de fotografías del Center for Creative Photography, Tucson, Arizona.

Robert J. Hennessey proporcionó los registros para las fotografías de Throckmorton Fine Art, Nueva York.

Jesús Sánchez Uribe proporcionó los registros para las fotografías de la Galería Juan Martín y de Juan Soriano.